CRISTIANISMO SIMPLIFICADO

AUGUSTUS NICODEMUS

CRISTIANISMO SIMPLIFICADO

RESPOSTAS DIRETAS A DÚVIDAS COMUNS

Publicado por Editora Mundo Cristão

Os textos das referências bíblicas foram extraídos da *Nova Versão Transformadora* (NVT), da Editora Mundo Cristão, salvo indicação específica. Usado com permissão da Tyndale House Publishers, Inc. Eventuais destaques nos textos bíblicos e citações em geral referem-se a grifos do autor.

CIP-Brasil. Catalogação na Publicação
Sindicato Nacional dos Editores de Livros, RJ

N537c

Nicodemus, Augustus
Cristianismo simplificado: respostas diretas a dúvidas comuns / Augustus Nicodemus. - 1. ed. - São Paulo: Mundo Cristão, 2018.
208 p. ; 21 cm.

ISBN 978-85-433-0329-1

1. Cristianismo. 2. Teologia. I. Título.

18-50209

CDD: 230
CDU: 27-1

Categoria: Igreja

Publicado no Brasil com todos os direitos reservados por:
Editora Mundo Cristão
Rua Antônio Carlos Tacconi, 69, São Paulo, SP, Brasil, CEP 04810-020
Telefone: (11) 2127-4147
www.mundocristao.com.br

1ª edição: julho de 2018
2ª reimpressão: 2025

À minha filha Anna. Sua resiliência
no sofrimento tem sido fonte de
inspiração para mim.

SUMÁRIO

Agradecimentos 9
Apresentação 11
Prefácio 13
Introdução 15

1. Deus 17
2. Igreja e religião 49
3. Pecado e salvação 85
4. Apologética 121
5. Escatologia 187

Sobre o autor 205

AGRADECIMENTOS

Este livro não seria possível sem a participação de Nátsan Matias, que elaborou e selecionou as perguntas que deram origem aos conteúdos veiculados no programa *Em poucas palavras* e interagiu constantemente comigo à medida que eu tentava respondê-las. O resultado desses conteúdos é o livro que você tem em mãos. A você, Nátsan, a minha gratidão.

APRESENTAÇÃO

Augustus Nicodemus Lopes tem se destacado como um dos teólogos reformados brasileiros mais respeitados no meio cristão. Sua influência vai muito além do círculo da Igreja Presbiteriana do Brasil, denominação em que serve como pastor. Seus escritos, áudios, vídeos e ministrações alcançam cristãos de diferentes linhas doutrinárias capazes de separar aspectos periféricos da fé e de sistemas teológicos do que é central e inegociável para o cristianismo.

Nesse sentido, as exposições e os posicionamentos de Augustus no que tange às questões do cristianismo costumam atrair a atenção e conquistar o respeito de gente de variadas matizes da Igreja. Afinal, seu conhecimento teológico é vasto, detalhado, embasado e profundo, e ele o expõe com cavalheirismo, mas firmeza. E isso fica muito claro neste livro.

Ao longo das próximas páginas, Augustus dedica-se a responder a perguntas das mais complicadas no que se refere à fé, em áreas da teologia cristã como apologética, escatologia, soteriologia, hamartiologia e eclesiologia — inteligentemente, de forma leve, objetiva, coloquial e acessível.

Questionamentos como: "O que significa negar Jesus?"; "Como escolher a melhor igreja?"; "Como a igreja deve lidar com o dinheiro?"; "Religião pode se misturar com política?"; "Por que, como e com que objetivo a igreja deve disciplinar os desobedientes?"; "Mulheres podem ser ordenadas ao ministério pastoral?"; "Como devo enxergar a Igreja Católica Apostólica Romana?" e "O que será a marca da besta?" são apenas alguns dos assuntos de dar nó nos neurônios, mas que Augustus não se furta a responder neste livro.

A Editora Mundo Cristão se alegra em publicar mais uma obra de Augustus Nicodemus Lopes, na certeza de que ela trará respostas para muitos leitores que buscam fontes teologicamente confiáveis para encontrar conhecimento saudável e crescimento espiritual na jornada com Cristo.

Boa leitura!

Maurício Zágari
Editor

PREFÁCIO

Eu amo ouvir rádio! Gasto boa parte do meu tempo dentro do carro ouvindo rádio. Houve quem dissesse que a chegada da televisão e, posteriormente, da Internet seria o fim do rádio. Mas, além de não ter sido o seu fim, fez com que a transmissão de informações por áudio assumisse novas formas e, com o tempo, o *podcast* foi criado.

Com vantagem considerável sobre o rádio, o *podcast* não só permite que o ouvinte o ouça a qualquer hora, como também dá o poder de escolher quem se deseja ouvir. O programa *Em poucas palavras*, que dá origem a este livro, tem servido de edificação para milhões de ouvintes de língua portuguesa em todo o mundo. Reverendo Augustus Nicodemus, com a indispensável ajuda do Reverendo Nátsan Matias, o apresentador do programa, desfaz os nós e descomplica o cristianismo com bom humor, linguagem acessível e profundidade de quem tem dedicado mais de trinta anos de sua vida à pregação do evangelho.

Mas, se há o *podcast,* por que ler este livro? Para responder a essa pergunta é bom lembrar que o esforço de transformar conversas de rádio em livro não é algo tão novo. Um dos maiores clássicos da literatura cristã do século 20, *Cristianismo puro e simples*, foi produzido a partir de uma série de entrevistas de rádio à BBC de Londres, nos anos de 1941 a 1944. Mais recentemente, R.C. Sproul publicou o livro *Boa pergunta!* a partir do seu programa de rádio dos anos 1980 *Ask, R.C.*

A grande vantagem do livro sobre o rádio ou o *podcast* é que essa mídia dá condições ao autor de aprofundar ou refinar suas explicações, e também permite ao leitor verificar os textos bíblicos e outras citações feitas para fundamentar as respostas com mais calma. Não há dúvidas de que este livro, *Cristianismo simplificado*, servirá ao leitor para compreender melhor assuntos mais variados que despertam a curiosidade dos cristãos. Esta obra também ajudará pastores e líderes de igrejas a dar respostas aos seus liderados. Os membros das igrejas, que não são líderes, também poderão aproveitar deste rico material para crescer no conhecimento da Palavra de Deus e, até mesmo, se preparar para dúvidas de céticos contra a sua fé — cumprindo, assim, o chamado que o apóstolo Pedro nos faz em sua primeira carta, ao dizer: "consagrem a Cristo como o Senhor de sua vida. E, se alguém lhes perguntar a respeito de sua esperança, estejam sempre preparados para explicá-la. Façam-no, porém, de modo amável e respeitoso" (1Pe 3.15).

Prompte et sincere

Ronaldo Barboza de Vasconcelos

Pastor auxiliar da Igreja Presbiteriana Paulistana

INTRODUÇÃO

A fé cristã lida com as questões mais profundas e cruciais da existência humana. A abrangência do cristianismo o torna singular diante de outras religiões. Quando entendida e levada a efeito, a visão de mundo oriunda da vida e obra de Jesus Cristo e de seus ensinamentos impacta todas as dimensões da vida, desde as questões existenciais particulares até aquelas que tratam da origem e do propósito da realidade que nos cerca.

O cristão, portanto, é alguém que diariamente procura interagir a sua fé com os mínimos acontecimentos e as maiores decisões. Ele tenta, em tudo, relacionar os fatos com a fé e entender o propósito deles à luz da revelação de Deus nas Escrituras. Inevitavelmente, ele lida com muitas perguntas e questões que aparentemente não têm respostas fáceis e simples.

Esse ponto ficou claro para mim e Nátsan Matias quando começamos a receber perguntas dos ouvintes de nosso programa de rádio *Em poucas palavras*. O canal aberto para o público por meio das redes sociais cedo ficou lotado de dúvidas e perguntas que refletiam o amplo espectro das interrogações que inquietavam os evangélicos no Brasil. Evangélicos preocupados com questões que iam desde a interpretação de textos bíblicos até como se conduzir em relacionamentos amorosos enviavam semanalmente dezenas e dezenas de questionamentos.

A Editora Mundo Cristão viu o potencial das perguntas e respostas dadas no programa e logo apareceu o livro *Cristianismo descomplicado*, contendo assuntos selecionados entre as centenas de perguntas respondidas no programa. Mas, como dissemos, as perguntas e o assunto delas eram muito amplos. *Cristianismo simplificado* traz mais desses assuntos e das respostas que demos a eles.

O cristão deveria saber que não terá respostas para todas as suas indagações aqui neste mundo. Há várias razões para isso. Primeira, nosso Deus é infinito. É impossível para nós conhecê-lo plenamente. Segunda, a revelação que ele fez de si mesmo nas Escrituras Sagradas não é exaustiva, mas suficiente. Há muita coisa não revelada nas Escrituras. Mas, tudo o que precisamos saber para conhecer a Deus e a seu Filho, Jesus Cristo, se encontra nelas revelado. Terceira, há graus distintos de clareza na revelação bíblica. Há coisas mais difíceis de entender do que outras, embora os temas centrais da história da redenção sejam claros e acessíveis. É inevitável o surgimento de perguntas, dúvidas e questionamentos sobre como a revelação bíblica se posiciona a respeito das inúmeras áreas da existência humana.

Queira Deus usar este livro para ajudar os cristãos brasileiros na jornada aqui neste mundo, oferecendo algumas respostas para questões que são realmente de dar um nó nos neurônios.

1

DEUS

DEUS EXISTE?

A pergunta "Deus existe?" é uma das mais antigas da história da humanidade, e parece que nunca sai de moda. Em nossos dias, os estudantes universitários são especialmente suscetíveis a esse questionamento por não raro serem postos frente a frente com professores ateus, materialistas e evolucionistas, e se veem lutando contra essa questão.

Quando as pessoas pedem provas da existência de Deus, na verdade estão se referindo a uma demonstração matemática, física, química, científica de que Deus existe ou não. E isso é impossível, uma vez que Deus, no conceito cristão, não pode ser submetido às leis que ele próprio criou e que são o objeto da ciência. As ciências se preocupam com o mundo concreto, palpável e tangível, com leis, pesos, distâncias, massas e relações de forças, e não é possível submetermos Deus a esse tipo de experimentação ou investigação.

Na concepção cristã, Deus é espírito eterno, invisível, onipotente, onisciente, Criador de todas as coisas. Aquilo de que a ciência se ocupa, que é o mundo material, na verdade não é Deus, mas a criação dele e a expressão da sua graça, de seu poder e de seu amor. Portanto, o que podemos dizer é que, se por "prova" entende-se "prova científica", então a resposta é "não", não se pode provar cientificamente a existência de Deus, como também não se pode provar a sua inexistência.

É preciso tomar cuidado para não transformar a ciência numa espécie de verdade absoluta ou de referência final de todas as coisas. Muitos querem fazer isso, especialmente os materialistas e, com certeza, os ateus, os quais defendem que o mundo é aquilo que pode ser tocado, visto, provado, cheirado, experimentado e submetido às leis do método científico empirista de averiguação e pesquisa. Naturalmente, essa é uma visão muito reducionista de mundo, de realidade. É limitado pensar que tudo o que existe se resume a química, interação de átomos e esse tipo de coisa. Deus é muito mais do que isso, portanto não pode ser submetido a esse tipo de experimentação.

A verdade é que perguntas dessa categoria são feitas por pessoas que um dia já tiveram a consciência da existência de Deus, pois ninguém nasce ateu. Toda pessoa nasce com a consciência da existência de um ser superior. Pode ser que ela não o conheça com o nome de "Deus", mas essa consciência de que existe um ser maior, uma realidade que vai além dos nossos olhos, um poder por trás do mundo observável, um ser intangível, é comum a todas as tribos, línguas e nações de todas as épocas. Todas as culturas têm religiões, das mais antigas e primitivas às mais avançadas e contemporâneas.

Filósofos e cientistas ateus, especialmente no ápice do iluminismo e do racionalismo, chegaram a profetizar o fim da religião. Disseram que o progresso humano e a ciência acabariam por eliminar a religião do coração humano e que a ciência se tornaria suprema. Mas, hoje, observamos que o mundo é tão religioso como sempre foi. As religiões estão em todo lugar. As pessoas invocam seus deuses e creem que existe uma realidade além da que nos cerca. Por quê? Porque isso é inato ao ser humano. Como disse, ninguém nasce ateu, as pessoas se tornam ateias. Para que elas cheguem a esse ponto, precisarão sufocar aquela vozinha que há dentro do coração, na consciência, que diz: "Há uma realidade além da nossa. Nós não somos deuses. O mundo não surgiu por acaso. Há um ser que domina, controla, guia, abençoa, ouve e intervém na realidade humana".

O que me preocupa mais não são os ateus. O que me preocupa é a quantidade de brasileiros que dizem crer em Deus, mas vivem como se ele não existisse. Eu os chamo de "ateus práticos", adeptos do "ateísmo cristão". São indivíduos que confessam publicamente acreditar que Deus existe e está em nosso meio, porém, quando questionados sobre as implicações disso em sua vida, afirmam não saber ao certo. Esses sujeitos fazem tudo em sua vida sem que Deus influencie suas ações. Eles não falam com Deus, não perguntam nada a ele, não querem saber o que o Senhor pensa sobre sua vida, não recorrem a Deus quando estão preocupados. Talvez, quando a tribulação ou a doença chegar, o ateu cristão se lembrará de Deus.

Uma campanha ateísta de 2009, lançada na British Humanist Association, utilizou um *slogan* que dizia: "Provavelmente Deus não existe. Agora pare de se preocupar e desfrute da vida". Creio que esses ateus foram honestos em dizer "provavelmente", pois não podem provar o que estão afirmando. Então, se há um risco de Deus existir, é melhor aproveitar a vida crendo nisso.

PODEMOS CONHECER DEUS?

Sem dúvida nenhuma, podemos conhecer Deus. Isso só é possível porque ele se revelou a nós. Não temos, por nós mesmos, como conhecê-lo, pois, se Deus é espírito, o totalmente outro, o criador de todas as coisas, onisciente, onipotente e onipresente, ele é um ser de outra ordem.

Assim, para chegarmos a conhecer Deus, teríamos de ser muito parecidos com ele, ou ter acesso a ele de alguma maneira — talvez pela razão. O problema é que a razão se encontra, hoje, manchada pelo pecado. O ser humano de nossos dias não raciocina como no início, por conta dos "efeitos noéticos do pecado". A transgressão afetou a capacidade do homem de entender as coisas de Deus. Além disso, sendo ele espírito, não se pode conhecer o Criador por meio dos sentidos, que são as portas humanas para o conhecimento.

Portanto, não há possibilidade de se conhecer a Deus, quem ele é ou ao que se propõe, simplesmente refletindo sobre isso ou tentando de alguma forma ter uma experiência sensorial com Deus. Há quem ache que observando a natureza, já que ela é algo criado pelo Senhor e provém dele, seria possível entender quem ele é. O nome disso é teologia natural, a tentativa de formular alguma coisa sobre Deus a partir da observação da natureza. Mas é um conhecimento muito confuso, basta observar a história das religiões: pela observação da natureza, as pessoas chegam a diferentes conclusões. Uns acabam adorando a própria natureza, como se ela fosse Deus; outros acham que a natureza é Deus e Deus é a natureza (um pensamento que chamamos de panteísmo ou panenteísmo). Logo, fica-se perdido na tentativa de imaginar quem é Deus ou descobrir quem ele é a partir de nós mesmos.

A Bíblia diz que, no início de todas as coisas, quando Deus criou o primeiro homem e a primeira mulher, esse problema não havia. A humanidade se relacionava com Deus sem impedimentos. A natureza humana não conhecia o pecado, era pura, inocente, santa, assim como Deus é. E havia, então, essa comunicação mútua entre Deus e o ser humano. Mas a Escritura também nos diz que, depois que o primeiro casal virou as costas para o Criador, a humanidade perdeu a capacidade de se relacionar com Deus e de entender as coisas divinas.

O apóstolo Paulo diz que o homem natural não aceita as verdades do Espírito de Deus, pois elas lhe parecem loucura, e ele não consegue entendê-las, pois apenas quem é espiritual consegue avaliar corretamente o que diz o Espírito (1Co2.14). O homem natural rejeita a revelação que Deus faz de si mesmo e, consequentemente, substitui a revelação divina por sua própria concepção a respeito de Deus. E isso é um mecanismo falho, pois, por mais que tentemos, nunca chegaremos a conhecer Deus por nós mesmos.

É interessante que a Bíblia diz que o ser humano está cego, morto para as coisas de Deus, quando se refere a ele no seu estado natural. A Escritura afirma que o homem é incapaz de ver a Deus, de conhecê-lo e se relacionar com ele, justamente porque o pecado nos separa do Senhor: "Vocês estavam mortos por causa de sua desobediência e de seus muitos pecados, nos quais costumavam viver, como o resto do mundo [...]. Todos nós vivíamos desse modo, seguindo os desejos ardentes e as inclinações de nossa natureza humana" (Ef 2.1-3).

Isaías diz que Deus está pronto para nos ouvir e nos atender, mas os nossos pecados fazem separação entre nós e ele (Is 59.2). Logo, há este grande empecilho para se conhecer a Deus: o ser humano no estado em que se encontra, marcado pelo pecado, pela desobediência e pela rebeldia de seu coração, não tem como conhecê-lo por si mesmo. Ele não pode entender Deus ou defini-lo como faz com os fenômenos naturais, os quais analisa e compila, para os quais elabora hipóteses, que ele testa em laboratório e para os quais ele, finalmente, formula conclusões acerca do que pode ser uma lei ou uma definição. Deus não se sujeita a isso, porque ele é espírito, eterno, totalmente outro da criação, diferente, transcendente. Ele não se encaixa em nossas categorias de definição.

Mas ele se revelou. Na sua misericórdia, no seu grande amor, Deus se deu a conhecer. Ele fez isso por meio de uma nação, Israel, a quem escolheu para revelar-se ao mundo. E de Israel veio Jesus, a encarnação plena, completa e perfeita de Deus. É Deus feito carne, é a expressão exata do ser de Deus. Em Jesus Cristo, Deus veio ao nosso encontro, se deu a conhecer a nós, andou conosco, participou da nossa vida e da nossa humanidade. Em Jesus temos a maior revelação de Deus, a revelação final.

Deus encarregou alguns dos que andavam com Jesus de escrever essa revelação. O Novo Testamento é exatamente isso. Os evangelhos são o testemunho que os apóstolos nos deram, por escrito, da vida e da obra de Jesus. Atos, por sua vez, é o relato de como aqueles primeiros discípulos viveram à luz da morte e ressurreição de Jesus. As cartas que os apóstolos escreveram deram as interpretações, autorizadas por Deus, do significado da morte e da ressurreição de Jesus Cristo. E Apocalipse nos fala a respeito da segunda vinda de Jesus e do encerramento de todas as coisas.

Em resumo: é possível conhecer Deus? Sim, é, mas somente à medida que ele se revela a nós na pessoa de Cristo, conforme registrado nas Escrituras.

A TRINDADE É UMA DOUTRINA BÍBLICA?

O cristianismo histórico não afirma que há três deuses, mas um só. Porém, em seu ser subsistem três pessoas distintas, sendo Deus cada uma dessas pessoas. Isso sem que seja um Deus de três cabeças, três deuses no mesmo ser ou mesmo três manifestações diferentes de um mesmo Deus. É o que chamamos de *mistério*.

Essa concepção da Trindade se baseia em diversas passagens bíblicas que afirmam a existência de um só Deus. Em Deuteronômio, temos a famosa passagem que diz que o Deus de Israel é o único Senhor (Dt 6.4-5). Aliás, o Antigo Testamento como um todo diz que só há um Deus. Os deuses pagãos são fruto da imaginação humana e, por essa razão, não podem salvar, não podem ouvir, não podem atender. Há um só Deus, criador do céu e da terra, que é o Deus de Israel, o de Abraão, Isaque e Jacó.

O monoteísmo é claramente afirmado no Antigo Testamento. Inclusive, o primeiro mandamento diz: "Eu sou o SENHOR, seu Deus, que o libertou da terra do Egito, onde você era escravo. Não tenha outros deuses além de mim" (Êx 20.2-3).

Quando se chega ao Novo Testamento, a mensagem continua: "Há um só Deus..." (1Tm 2.5). Os dois Testamentos são totalmente monoteístas, insistindo sempre que só há um Deus e não há outro além dele.

Porém, já no Antigo Testamento e, muito mais claramente, no Novo Testamento, se percebe que há três pessoas referidas como Deus e que são distintas. Encontramos no Antigo Testamento um ser que se chama "anjo do Senhor", enviado pelo Deus de Israel, mas que recebe adoração, fala como se fosse Deus, aceita que aqueles a quem ele ministra se curvem a ele, o adorem e lhe façam petições.

Encontramos referências já no Antigo Testamento sobre o Espírito de Jeová, que se entristece, que acompanhou o povo de Deus na peregrinação no deserto. Quando chegamos no Novo Testamento, essa revelação fica ainda mais clara. Não somente o Pai é referido como Deus, como também continuamos encontrando referências ao Espírito Santo como sendo divino — além, é claro, da pessoa de Jesus.

No famoso episódio de Atos 5 acerca de Ananias e Safira, Pedro diz: "Ananias, por que você deixou Satanás encher seu coração? Você *mentiu para o Espírito Santo* quando guardou parte do dinheiro para si. A propriedade era sua para vender ou não, como quisesse. E, depois de vendê-la, o dinheiro também era seu, para entregar ou não. Como pôde fazer uma coisa dessas? Você não mentiu para nós, *mas para Deus*!" (At 5.3-4). Há, pois, plena identificação do Espírito Santo como sendo Deus.

Várias passagens do Novo Testamento se referem a Jesus como sendo Deus encarnado, Deus entre nós. Para mencionar apenas uma: o início do Evangelho de João diz que, no princípio, Jesus já existia, estava com Deus e era Deus, e que, por meio dele, Deus criou todas as coisas, e sem ele nada foi criado (Jo 1.1-5).

Considerando tudo isso, identificamos passagens bíblicas que revelam haver somente um Deus, outras que se referem ao Pai como sendo Deus, outras, ainda, que destacam a divindade do Espírito Santo e outras, por fim, que se referem a Jesus como Deus. Assim, depois de muito debate e de alguns concílios, os teólogos chegaram à conclusão de que se trata de um mistério, para o qual não há capacidade de racionalização e entendimento de nossa parte. Há um só Deus, mas no ser de Deus subsistem três pessoas distintas: Pai, Filho e Espírito Santo, que são igualmente divinas e possuem os mesmos honra, glória, poder e majestade.

Portanto, as três pessoas divinas devem ser servidas, adoradas e obedecidas e nelas devemos crer, sem que, com isso, constituam um Deus de três cabeças, três deuses ou três manifestações do único Deus. Trata-se do Deus trino que se revela a nós na Palavra de Deus.

Sempre houve à margem do cristianismo quem negasse a divindade do Filho de Deus, Jesus Cristo, bem como a do Espírito Santo. É o caso do movimento "unitário", ou "unista", que é muito antigo e considerado herético. Um unitarista não pode ser entendido como cristão, uma vez que a base do cristianismo é a pessoa de Cristo, sendo Jesus verdadeiro Deus e verdadeiro homem. Se alguém nega a divindade de Cristo, está teologicamente fora dos limites do cristianismo histórico. Há seitas, como a Testemunhas de Jeová e a dos mórmons, que são unitaristas. Portanto, a negação da divindade de Cristo distingue o cristianismo histórico das seitas.

Outro argumento que poderíamos apresentar é que, embora a palavra "Trindade" não apareça na Bíblia, encontramos as três pessoas divinas tratadas igualmente como Deus e a ele associadas. Por exemplo, no batismo de Jesus, às margens do rio Jordão, lemos que, quando ele entrou na água, os céus se abriram, o Espírito Santo desceu sob a forma de pomba e uma voz vinda do céu disse: "Este é meu Filho amado, que me dá grande alegria" (Mt 3.17). Aqui temos uma cena trinitária. Na ordem: o Filho, o Espírito e o Pai. Juntos no mesmo quadro, no mesmo evento.

Mais adiante, após a ressurreição, Jesus diz aos discípulos: "Portanto, vão e façam discípulos de todas as nações, batizando-os em nome do Pai, do Filho e do Espírito Santo" (Mt 28.19). Ora, o próprio Jesus mandou que os discípulos fossem batizados em nome das três pessoas da Trindade. Com isso, Jesus quis dizer que as três são iguais, têm a mesma honra e que devemos nos identificar com cada uma delas.

O apóstolo Paulo, que era um judeu comprometido, muito zeloso em sua fé judaica, conheceu o Senhor Jesus no caminho para Damasco. Em suas cartas encontramos vários textos trinitarianos, como: "Todo louvor seja a Deus, o Pai de nosso Senhor Jesus Cristo, que nos abençoou em Cristo com todas as bênçãos espirituais nos domínios celestiais" (Ef 1.3). Em seguida, Paulo diz que Jesus tomou a forma humana e, com seu sangue, nos libertou de nossos pecados. Ele prossegue, dizendo que o Espírito Santo sela o nosso coração quando ouvimos essas verdades. Portanto, vemos em Efésios 1 o desenvolvimento da história da redenção de forma trinitária. O Pai planejou, o Filho executou e o Espírito Santo aplica, hoje. E mais: Paulo afirma, em 1Coríntios 12.4, que há um Senhor que concede os ministérios e há um só Deus que realiza essas coisas. Essa é mais uma passagem trinitária.

Poderíamos citar muitas outras passagens em que o Pai, o Filho e o Espírito Santo aparecem associados na Bíblia. Assim, mesmo que a palavra "Trindade" não exista na Escritura, a conclusão a que chegamos estudando a Bíblia é que há uma Trindade divina. A doutrina está claramente discernível. O nosso Deus, nosso único Deus verdadeiro, é trino, ou seja, ele subsiste na forma ou na pessoa do Pai, do Filho e do Espírito Santo. Os três são distintos: o Pai não é o Filho; o Filho não é o Pai; e os dois não são o Espírito Santo, mas os três são o mesmo Deus. Essa é uma doutrina fundamental para o cristianismo histórico.

As seitas unitárias afirmam que Jesus foi criado por Deus Pai, que seria um deus menor ou um anjo que visitou nosso planeta. Dizem, ainda, que os discípulos se equivocaram ao adorar Jesus e que, ao lhe dirigirem orações, oraram ao Pai em nome dele. Porém, quando se nega a Trindade, se nega a divindade de Jesus e a pessoalidade do Espírito Santo. Quem defende tais ideias terá de explicar sobre o Espírito Santo, já que não admite sua pessoalidade. Daí dizem que se trata de uma "força", uma "energia que vem de Deus", uma "manifestação de Deus" e assim por diante. A única conclusão é que o unitarismo, que nega o conceito de Trindade, não pode ser considerado cristianismo.

QUEM É JESUS?

Quem é Jesus? Essa é uma pergunta simples, mas que faz toda a diferença. Claro que para nós, cristãos, não há a menor dúvida com relação à resposta: Jesus Cristo é o Senhor. Filho de Deus, é aquele que veio dos céus, se tornou um de nós no ventre da virgem Maria, assumiu nossa humanidade, viveu entre pessoas comuns, comeu do nosso pão, bebeu da nossa água, respirou nosso ar, andou na nossa terra, entregou-se na cruz pelos nossos pecados, ressuscitou ao terceiro dia, subiu aos céus e está sentado à direita de Deus, aguardando o momento de retornar para julgar os vivos e os mortos e para sempre reinar com seu povo no novo céu e na nova terra, onde habita a justiça. Esse, em resumo, é o que o cristianismo histórico acredita a respeito de Jesus e que está nas confissões e nos grandes credos produzidos ao longo dos séculos.

O grande ponto a respeito da personalidade de Jesus, ou de sua pessoa, é a questão das fontes. Onde aprendemos a respeito de Jesus? Quais são as fontes que nos apresentam informações sobre ele? Basicamente, temos os evangelhos e as cartas escritas por discípulos de Jesus, documentos que datam do primeiro século. Desses, temos diversas cópias. São aproximadamente cinco mil cópias, produzidas ao longo dos anos, até que a imprensa fosse criada. A partir daí, essas cópias, que até então eram feitas manualmente, passaram a ser feitas de maneira mecânica. Essas cópias mecânicas reproduzem, com exatidão, aqueles documentos originais produzidos no primeiro século.

Esses documentos, que são primários, nos apresentam Jesus exatamente como falamos: o Filho de Deus, o Messias esperado pela nação de Israel, que fora anunciado pelos antigos profetas seis ou sete séculos antes de ele vir ao mundo. E isso com detalhes precisos quanto ao seu nascimento, às circunstâncias e razão da sua morte e quanto às suas reivindicações. Esses evangelhos, que foram escritos por aqueles que andaram com Jesus, nos dizem que ele, com frequência, reivindicava que os seus discípulos renunciassem inclusive à própria vida para poder segui-lo; que o amassem mais que à própria família. Deveriam, inclusive, estar dispostos a renunciar, se necessário, às riquezas e aos bens materiais para segui-lo.

E mais: Jesus dizia às pessoas que deveriam ter fé nele da mesma forma que tinham fé em Deus Pai. Além disso, Jesus aceitava adoração. Várias vezes, os discípulos se curvaram para adorá-lo e ele não recusou; antes, aceitou ser adorado. Jesus disse, ainda, que as pessoas poderiam pedir-lhe coisas e essas lhe seriam concedidas, da mesma forma que as pessoas pediam ao Pai. Ele fez declaração do tipo: "Quem me vê, vê o Pai!" (Jo 14.9) e "O Pai e eu somos um" (Jo 10.30).

Com tudo isso em mente, vem a grande questão: de acordo com essas fontes, Jesus de fato se apresenta como o próprio Deus em forma humana. Seria essa a afirmação de um louco megalomaníaco cheio de retórica e de poderes extraordinários que ultrapassam nossa compreensão? Quando pesamos as evidências, chegamos à conclusão de que não há a possibilidade de Jesus ter sido um enganador megalomaníaco, porque ele tinha muitos inimigos e, quando disse que depois de morto haveria de ressuscitar, a coisa mais simples para os judeus e para os romanos, depois de sua morte, teria sido apresentar seu corpo. "Está aqui o corpo de Jesus! Ele não ressuscitou". Pronto, problema resolvido, loucura confirmada. Mas não foi o que aconteceu. Onde está o corpo de Jesus? Nunca foi apresentado.

Seus discípulos eram judeus. Judeus são monoteístas, criados aprendendo que só existe um Deus. Dessa forma, para que um judeu acredite que um determinado homem é Deus, isso representa uma quebra de paradigma tremenda. É uma revolução. E não foi só na cabeça de uma pessoa, foi na cabeça de doze e depois na de centenas de milhares. E aqui citamos um judeu ilustre: Paulo. Ele era um rabino extremamente preparado do ponto de vista intelectual, zeloso dentro da tradição mais nobre do judaísmo, que chegou a perseguir cristãos porque não podia aceitar aquilo que eles diziam: que Jesus era Deus. Pois bem, esse homem finalmente concluiu que estava errado e tornou-se o maior pregador do cristianismo, além de autor canônico.

Portanto, quando examinamos as evidências, a pergunta se apresenta: será que um louco conseguiria produzir todo esse efeito? Seria ele capaz de criar uma doutrina que fala de amor, justiça e verdade; que demanda de você que se dê pelos seus inimigos; que o motiva a viver para a glória de Deus? Será que um louco conseguiria atrair tantas pessoas e formar aquela que é a maior religião mundial baseada no amor ao próximo e no amor a Deus? As evidências apontam como verdade o que ele disse de fato.

Jesus é verdadeiramente o Filho de Deus, que veio ao mundo com a finalidade de, na cruz do Calvário, derramar seu sangue para salvar pecadores. Ele não foi simplesmente um profeta judeu que os discípulos endeusaram, um iluminado, ou um reformador do judaísmo a quem os discípulos acabaram atribuindo milagres e prodígios. Não. Jesus foi exatamente aquilo que a Bíblia nos diz que ele foi.

A pergunta sobre quem foi Jesus não tem muita importância se não vier acompanhada de outra: qual deve ser nossa atitude em relação a ele? Porque, se Jesus é o que afirma ser, o Filho de Deus, o próprio Deus; que tem todo o poder nos céus e na terra; que voltará; que é o único e suficiente Salvador, então a nossa atitude com relação a ele só pode ser uma: a de *adorá-lo*. Essa percepção nos leva a nos curvar diante dele, servi-lo, e a viver para agradá-lo e para anunciar seu nome em todo lugar.

Lembre-se sempre disto: ele vive. Ele é Senhor. Curve-se diante dele. Vá a ele e receba o perdão de seus pecados e um sentido para a sua vida.

O QUE SIGNIFICAM OS TÍTULOS DE JESUS?

Jesus nos é apresentado na Bíblia com diversos títulos. Por que ele tem títulos tão variados? A resposta está na riqueza, na profundidade, na complexidade e na glória da sua pessoa. Não há um único título que seja suficiente para expressar tudo o que ele é, fez e representa. Por essa razão, a Escritura se refere a ele usando diferentes designações, adjetivos e títulos. Isso nos permite ter uma ideia de sua grandeza, beleza e glória. Cito neste texto sete títulos de Jesus, a fim de explicar o significado bíblico-teológico de cada um.

Cristo

A palavra "Cristo" vem do grego e significa "Ungido". É uma referência ao Antigo Testamento, ao "servo do Senhor", o "Messias". Essa palavra, "Messias", significa "aquele que é ungido", no sentido de ser "separado". No Antigo Testamento, quando Deus escolhia um rei, um sacerdote ou um juiz, aquela pessoa era designada, separada, para aquela função por meio da unção com óleo, que geralmente era feita por um profeta.

Foi o que fez o profeta Samuel, por exemplo, que ungiu Davi rei em lugar de Saul (Sm 16.13).

Assim, Deus enviou seu Filho ao mundo com uma missão. Ele seria o "Ungido" de Deus para realizá-la. Porém, a unção de Jesus não foi com óleo, mas com o Espírito Santo.

Há uma referência profética a Jesus como o Cristo no Antigo Testamento: "O Espírito do Senhor Soberano está sobre mim, pois o Senhor me ungiu para levar boas-novas aos pobres. Ele me enviou para consolar os de coração quebrantado e para proclamar que os cativos serão soltos e os prisioneiros, libertos" (Is 61.1). Quem fala isso é, profeticamente, o Messias, o Ungido de Deus, aquele que foi cheio do Espírito Santo para realizar a missão de salvar os pecadores.

Filho de Deus

Esse título se refere à divindade de Cristo. É preciso entender que, quando os autores do Novo Testamento se referem a Jesus como sendo o Filho de Deus, isso implica mais que uma relação paterna entre Pai e Filho. Implica, sim, uma identidade de natureza. Jesus é filho de Deus porque ele tem a mesma natureza divina de Deus Pai, ele partilha da essência divina.

Em certa ocasião, Jesus estava em Jerusalém discutindo com os judeus e se referiu a Deus como seu Pai, o que levou os judeus a questionarem Jesus. Ele respondeu: "O Pai e eu somos um" (Jo 10.30). Os judeus, então, pegaram pedras para apedrejá-lo. No entendimento deles, Jesus havia cometido blasfêmia ao se equivaler a Deus, o que, pela Lei judaica, era punido com apedrejamento. E qual foi, na opinião daquelas pessoas, a blasfêmia que Jesus teria cometido? Os judeus responderam: "[...] Você, um simples homem, afirma que é Deus!" (Jo 10.33). Eles compreenderam perfeitamente que, ao dizer que era o Filho de Deus, Jesus estava dizendo que era Deus.

Portanto, o título Filho de Deus aponta para o Unigênito Filho de Deus: Jesus, participante da natureza divina. Ele é aquele que veio de Deus, participa da natureza de Deus e encarnou neste mundo em forma humana para salvar pecadores.

Filho do Homem

"Filho do Homem" é uma expressão que aparece no livro de Daniel. O profeta tem uma visão na qual vê um ancião, que é Deus em sua glória. E, numa nuvem, vem "alguém semelhante a um filho de homem" que se apresenta diante dele, a quem o ancião dá todos os reinos do mundo e o domínio. O reino que lhe é dado é um reino eterno que nunca haverá de cessar (Dn 7.13-14).

Portanto, a figura do "Filho do Homem" era identificada, na escatologia do Antigo Testamento, com o Messias. Ele é chamado de "Filho do Homem" porque, além de assumir uma figura humana, estaria representando a humanidade. Seria o cabeça de uma nova raça.

Esse título é sempre escatológico e profético, em referência à profecia de Daniel. Jesus usa esse título para si mesmo várias vezes. É interessante que nenhum dos escritores do Novo Testamento se refere a Jesus como Filho do Homem, mas ele se referia frequentemente a si mesmo com tal título, como se estivesse dizendo: "Eu sou aquele a respeito de quem Daniel falou".

Filho de Davi

Essa outra designação de Jesus tem uma conotação de cumprimento. Quando Deus apareceu a Adão, no Éden, depois do pecado, ele fez a promessa de que haveria um descendente da mulher que esmagaria a cabeça da serpente. Mais adiante, Deus esclarece melhor sobre esse ser que haveria de vir, quando ele convoca Abrão e lhe promete que alguém de sua descendência seria aquele em quem as nações da terra seriam benditas.

Portanto, a promessa que foi feita no Éden é agora mais bem explicada, no sentido de que o Salvador do mundo, que haveria de esmagar a cabeça da serpente, seria descendente daquele arameu que Deus chamou de Ur dos caldeus, cujo nome era Abrão.

Da linhagem de Abrão veio o rei Davi, a respeito de quem Deus faz a mesma promessa, dizendo que, da descendência dele, o Senhor haveria de levantar aquele que se sentaria no trono de Israel para sempre.

Por essa razão, quando os escritores do Novo Testamento se referem a Jesus como Filho de Davi, estão dizendo que ele é a pessoa que cumpriu essa promessa. E, de fato, Jesus era descendente de Davi. E ele já reina como Filho de Davi, com todo o reino, o poder e a glória.

Cordeiro de Deus

Esse termo foi usado quando Jesus apareceu no rio Jordão. Assim que João Batista o vê, aponta para ele e diz às multidões: "Vejam! É o Cordeiro de Deus, que tira o pecado do mundo!" (Jo 1.29). No dia seguinte, João viu Jesus novamente e, na ocasião, repetiu: "Vejam! É o Cordeiro de Deus!" (Jo 1.36).

Esse título identifica Jesus como o sacrifício que o próprio Deus oferece pelo pecado da humanidade. No Antigo Testamento era ordenada aos sacerdotes a morte de cordeiros sobre o altar edificado no templo de Jerusalém pelos sacerdotes. O sangue era derramado e oferecido em lugar do judeu penitente. Deus envia Jesus como o seu "Cordeiro". No altar da cruz do Calvário, Jesus realiza um sacrifício completo, de uma vez por todas, para pagamento dos pecados de seu povo. É nesse sentido que Jesus é o "Cordeiro de Deus".

Luz do mundo

Esse título advém de uma expressão que o próprio Jesus utilizou: "Eu sou a luz do mundo. Se vocês me seguirem, não andarão no escuro, pois terão a luz da vida" (Jo 8.12). Creio que Jesus utilizou essa ilustração a seu respeito para mostrar que a humanidade está em trevas, uma referência à devassidão do pecado e à ignorância acerca do mal que ele gera. E, no meio dessa escuridão que cobre a humanidade, Jesus surge trazendo o verdadeiro conhecimento de Deus. Ele nos revela o Pai. Ele é o caminho, a verdade e a vida e, como tal, é a Luz que brilha na escuridão (1Pe 2.9)

Creio que há, ainda, outro aspecto desse título que merece destaque. Se a humanidade que vive na escuridão seguir Jesus, saberá para onde vai. Assim, os que foram alcançados pela graça verão o caminho graças à Luz do mundo e não tropeçarão.

Salvador

Esse título é muito usado no Novo Testamento para se referir a Jesus e o designa como aquele enviado por Deus para nos salvar da culpa dos nossos pecados, do poder do pecado sobre nós e da presença do pecado quando ele nos ressuscitar dos mortos. Nesse sentido, Jesus é único, a ponto de o apóstolo Pedro dizer que não há nenhum outro nome debaixo do céu, em toda a humanidade, por meio do qual devamos ser salvos (At 4.12). Jesus, o Salvador do mundo: não há outro.

O QUE SIGNIFICA NEGAR JESUS?

Em certa ocasião, Jesus afirmou: "Quem me reconhecer em público aqui na terra, eu o reconhecerei diante de meu Pai no céu. Mas quem me negar aqui na terra, eu também o negarei diante de meu Pai no céu" (Mt 10.32-33). O que significa esse texto? E mais, Pedro nega Jesus diante dos homens e, aparentemente, Jesus não nega Pedro diante de Deus. Teria Jesus quebrado o princípio que ele havia ensinado?

Para compreender essa questão, temos de começar definindo termos. O que significa no texto citado reconhecer Jesus e negar Jesus? Essa passagem está inserida nas instruções que Jesus deu aos doze discípulos quando os enviou em missão para anunciar as boas-novas pelas vilas e pelos povoados da Galileia. O Senhor os envia com muitas instruções, orientando o que eles deveriam levar pelo caminho, a quem deveriam abordar, como precisariam se comportar nas casas onde entrassem, qual mensagem teriam de pregar e como deveriam reagir diante do efeito da pregação.

Os discípulos tinham de anunciar que o reino de Deus estava próximo e que o Messias já havia chegado, que as pessoas precisavam se arrepender de seus pecados e crer em Jesus. Em resumo, deveriam reconhecê-lo como o Messias de Israel. Essa era a mensagem que Jesus ordenou que proclamassem. Juntamente com a proclamação, eles deveriam curar os doentes, expulsar os demônios, enfim, fazer o bem a todos em nome de Jesus.

É quando Jesus faz a declaração a respeito da reação das pessoas à mensagem dos discípulos. Ele diz no versículo 32 que a quem o reconhecesse em público, isto é, o confessasse diante dos homens, Jesus também o reconheceria diante de Deus Pai. Em outras palavras, ele está dizendo que as pessoas deveriam ouvir as pregações dos discípulos a respeito do reino de Deus, crer nelas de todo o coração e aceitar a mensagem, isto é, se converter.

Pois bem, aqueles que fizessem isso de todo o coração, em reconhecimento público (e não meramente "da boca para fora"), expressando o estado do coração, crendo na mensagem de Jesus e de seus discípulos, se arrependendo dos pecados, aceitando que o reino de Deus havia chegado e que Jesus era o Messias, se tornariam também discípulos de Jesus. É isso o que significa. A pessoa passaria, então, a reconhecer publicamente que Jesus era o Messias. Certamente isso haveria de mudar toda a sua vida, a sua situação e o seu contexto de vida.

A esses que publicamente professam fé em Jesus, no Dia do Juízo ele os reconhecerá como seus discípulos verdadeiros — aqueles que foram aceitos e perdoados e que entrarão no reino dos céus.

Na mesma linha, segue a reação oposta. Jesus diz, em seguida: "quem me negar aqui na terra, eu também o negarei diante de meu Pai no céu". Isto é, os indivíduos que ouvirem a mensagem dos discípulos e o apelo deles para o arrependimento, a conversão e a fé em Jesus Cristo, a fim de receberem o reino de Deus, mas negarem Cristo, isto é, se recusarem a reconhecer a Jesus como Senhor e Salvador, o Messias esperado, aquele que reinará para sempre, no Dia do Juízo esses também serão negados por Jesus, que dirá a respeito deles: "Nunca os conheci" (Mt 7.23). Essas pessoas ouviram a mensagem pela proclamação do evangelho, mas negaram o nome de Jesus, isto é, se recusaram a acreditar no seu nome.

Jesus, nesse caso, está tratando de conversão e de rebelião, de pessoas que creem na mensagem do evangelho e se convertem e de pessoas que resistem à pregação das boas-novas, sem professar a fé em Jesus durante toda a vida. Isso terá reflexos, evidentemente, no Dia do Juízo, como o próprio Jesus diz. Ele, da mesma forma, reconhecerá os que o reconheceram e negará aqueles que o negaram.

Quando pensamos em Pedro, vemos que se trata de uma situação totalmente diferente. O cenário é outro. Pedro era um seguidor verdadeiro de Jesus, um discípulo autêntico. Nós lemos na Escritura que Jesus lhe pergunta: "Quem vocês dizem que eu sou?" (Mt 16.15). E Pedro responde: "O Senhor é o Cristo, o Filho do Deus vivo" (v. 16). Diante dessa resposta, Jesus afirma que Simão é um bem-aventurado, um privilegiado, pelo fato de essa realidade haver sido revelada a ele por Deus Pai (v. 17). E, em seguida, faz a promessa: "você é Pedro, e sobre esta pedra edificarei minha igreja" (Mt 16.18). Isto é, Cristo prometeu edificar a Igreja dele sobre o Pedro confessante, que reconhecia publicamente que Jesus era de fato o Filho de Deus e o Messias.

Pedro não pode ser encaixado naquela categoria de pessoas que negam Jesus, no sentido de que se recusam a crer em Jesus. Pedro era, de fato, um crente em Jesus Cristo. O que aconteceu na noite da traição é que esse crente, Pedro, vacilou. Ao se ver em uma situação de aflição, fraquejou, com medo de ser preso, torturado e, talvez, morto. Então, por três vezes, quando interrogado, ele diz que não conhece Jesus. Mas essa negação não é o mesmo tipo de negação que está em Mateus 10, relativa às pessoas que se recusam a se converter e crer em Jesus como Senhor e Salvador.

A atitude de Pedro foi a manifestação de fraqueza de um crente verdadeiro. Foi um momento de vulnerabilidade. Pedro temeu o que poderia lhe acontecer e, covardemente, por três vezes disse que não conhecia Jesus. O Evangelho de Lucas nos diz que, assim que ele negou Jesus pela terceira vez, o Senhor olhou para ele e, quando seus olhares se cruzaram, Pedro saiu e chorou amargamente (Lc 22.61-62). Ele chorou de arrependimento e tristeza pela sua fraqueza diante da situação, negando seu Senhor diante dos homens. Portanto, Pedro tinha um coração convertido e estava arrependido. Certamente o senhor Jesus o perdoou.

QUEM É O ESPÍRITO SANTO?

Há sempre uma grande curiosidade sobre quem é o Espírito Santo. Ele é uma energia? Uma força cósmica? Uma pessoa? Alguém subordinado a Deus? Bem, comecemos dizendo o que o Espírito Santo *não* é. Ele *não* é uma força impessoal, um "líquido celestial" ou um "gás divino".

Lembro-me do relato do conhecido teólogo Charles Finney. Ele afirmou que, em certa ocasião depois de sua conversão, o Espírito Santo teria entrado em sua casa e vindo sobre ele. Naquele momento, Finney diz ter sentido seu corpo ser perpassado por descargas elétricas. Não estou dizendo que não haja efeitos emocionais ou físicos que possam acontecer com quem tem uma experiência real com o Espírito Santo, mas experiências desse tipo são pessoais. Porém, ao serem contadas e reproduzidas, terminam por dar às pessoas a impressão de que a terceira pessoa da Trindade é uma força impessoal.

Algumas ideias relacionadas a esse conceito de plenitude do Espírito Santo trazem a noção de que somos algo como copos a ser preenchidos pelo Espírito. Muitos pastores marcam reuniões de cura com antecedência, determinando o que o Espírito deverá fazer a alguém, "soprando" o Espírito Santo sobre o povo, jogando o paletó "com o Espírito Santo" em cima das pessoas e coisas assim. Isso apenas mostra que tais pastores pensam que o Espírito Santo é algo manipulável e impessoal, utilizável para qualquer propósito que queiramos, da mesma forma que fazemos com algum objeto.

A verdade é que o Espírito Santo não pode ser controlado nem manipulado como um objeto por ninguém, nem mesmo por grandes homens de Deus. O Espírito Santo é a terceira pessoa da Trindade. É Deus. É igual em honra, poder e majestade ao Pai e ao Filho. Enfim, é digno de toda a nossa adoração.

É importante destacarmos a sua pessoalidade, pois ele é uma pessoa. Pensa, age e sente emoções, tais quais tristeza e alegria, dentre outras características pessoais. Pai, Filho e Espírito Santo são pessoas distintas, mas subsistem igualmente no mesmo Deus.

A importância do Espírito Santo é destacada sobretudo quando analisamos seu papel no plano da redenção. Costumeiramente dizemos que o Pai planejou a Igreja desde a eternidade, constituída por um povo escolhido para si, para amá-lo e adorá-lo, obedecendo-lhe em amor. O Filho executou esse plano idealizado pelo Pai quando se despiu de sua glória eterna, fazendo-se semelhante aos homens na encarnação, morrendo na cruz e ressuscitando dentre os mortos. Dessa forma, lançou o fundamento da redenção e do perdão dos pecados. O Espírito Santo é quem aplica os benefícios e os efeitos da morte de Cristo às pessoas.

Portanto, o Pai planejou, o Filho executou e o Espírito Santo aplica.

A importância do Espírito Santo para a doutrina cristã está no fato de ser ele quem imputa aos pecadores arrependidos os méritos de Cristo. É ele quem torna o sacrifício na cruz, ocorrido há dois mil anos, sempre atual. É mediante o Espírito Santo que posso estar unido a Cristo e participar do poder de sua ressurreição, de seu perdão e da reconciliação com Deus. Ele é o agente da Trindade que nos aplica todos os benefícios que Cristo proporcionou, a fim de que tenhamos nova vida.

Hoje em dia, infelizmente, o Espírito Santo é lembrado apenas pelos dons espirituais, como variedade de línguas e profecias, além de visões, revelações e manifestações extraordinárias, sendo que tudo isso era secundário no Novo Testamento. A obra principal do Espírito Santo após a primeira vinda de Jesus é aplicar a obra de Cristo. O principal objetivo da Trindade é executar todo seu plano redentor para o ser humano; tudo mais é secundário.

O Espírito Santo habita o crente, fazendo morada naquele que se arrepende de seus pecados e entrega a vida a Jesus. Com isso, ele santifica o que crê, ou seja, age diretamente em sua mente e em seu coração, dando-lhe graça e força para vencer diariamente o pecado e recusar as tentações do mundo.

O Espírito Santo nos enriquece com os dons espirituais, como o dom de mestre, o de misericórdia, o de liderança e muitos outros. Há cinco listas de dons mencionados no Novo Testamento, ferramentas que o Espírito nos concede para a edificação da Igreja e para levar o evangelho ao mundo.

A Bíblia também menciona o fruto do Espírito (Gl 5.22-23): amor, alegria, paz, paciência, amabilidade, bondade, fidelidade, mansidão e domínio próprio. Um fruto abençoado, resultante da ação do Espírito Santo em nosso coração, a fim de aperfeiçoar-nos o caráter e a vida, proporcionando domínio sobre as paixões. O Novo Testamento também fala da ousadia, da coragem e da intrepidez para testemunhar a mensagem da cruz, característica que também é concedida pelo Espírito Santo.

Paulo diz que o Espírito de Deus confirma a nosso espírito que somos filhos de Deus (Rm 8.16). É o Espírito que me persuade, que me convence intimamente de que Deus me ama e me recebe. Considero essa atribuição do Espírito Santo uma das grandes funções exercidas por essa pessoa divina. Uma vez que estamos convencidos, persuadidos, convictos de que somos de Deus e de que ele está conosco, tornamo-nos intrépidos e corajosos para enfrentar os desafios diários e pregar a mensagem de Cristo.

Somente capacitados pelo Espírito Santo somos capazes de ter as qualidades necessárias para enfrentar toda e qualquer situação adversa, incluindo a de morrer pela mensagem da cruz, se preciso for.

2

IGREJA E RELIGIÃO

TODAS AS RELIGIÕES LEVAM A DEUS?

Todos já ouviram a seguinte afirmação: "O importante é ser uma boa pessoa, afinal, todos os caminhos levam a Deus". Ou seja, segundo esse pensamento, não importa em que se creia, tudo nos leva a Deus. Geralmente, as pessoas colocam a questão da seguinte forma: "Todas as religiões levam a Deus. Logo, toda religião é boa".

Para pensar sobre isso, devemos começar definindo o que é religião. "Religião" é uma palavra que vem do latim *religare* e aponta para o fato de que as religiões têm como objetivo ligar o homem a Deus. Isto é, estabelecer contato entre o homem e a divindade, para que seja aceito e abençoado por ela.

As religiões são tão antigas quanto a humanidade. Desde que sabemos que há gente nesse planeta, há religião. Creio que isso tenha origem no fato de que o ser humano é religioso por natureza. Por isso, a religião é um fenômeno universal. Encontramos religião em todas as culturas, em todas as partes do mundo, em todas as épocas. Cada povo tem uma religião ou mais, na tentativa de achegar-se a Deus, de se relacionar com ele, sendo aprovado e obtendo o perdão de seus pecados.

De acordo com a Bíblia, essa tendência religiosa do ser humano resulta do fato de Deus ter criado a humanidade à sua própria imagem e semelhança (Gn 1.26). Portanto, como dizia Agostinho de Hipona, "há um vazio no coração do homem do tamanho de Deus". E essa lacuna só pode ser preenchida pelo próprio Deus. Ali não cabe outra coisa.

Na tentativa de saciar a procura e a sede por transcendência, o homem se lança na busca de Deus. Com esse objetivo, cria religiões, ritos e cerimônias. Se nos dedicássemos a fazer um estudo comparativo das religiões, veríamos que elas têm em comum diversos pontos. Todas apresentam Deus ou deuses como a realidade última e creem em uma realidade transcendente que vai além do mundo material. Além disso, toda religião tem preceitos morais — como fazer o bem, amar o próximo e ajudar os necessitados.

Toda religião tem também uma visão de mundo, que se apresenta mais claramente nas respostas conscientes ou inconscientes que se dá às seguintes perguntas: o que é o mundo? Qual é a relação do mundo com Deus? O mundo é uma extensão de Deus? O mundo funciona à parte de Deus? O mundo foi criado por Deus? Se foi criado, de que maneira isso ocorreu: por um ato de Deus, uma palavra de Deus ou um longo processo evolutivo?

Toda religião tem também uma visão do que seja o homem. Quem é o ser humano? De onde nós viemos? Fomos criados por Deus ou somos resultado de um processo evolutivo? Somos o fruto de alguma epopeia, algum mito, como aqueles que encontramos nos antigos relatos dos povos babilônicos? É importante ressaltarmos que há algo que caracteriza as religiões: todas têm um sistema de salvação e algum dogma que diz de que forma o ser humano pode se relacionar com Deus e prestar-lhe contas.

Portanto, creio não estarmos sendo simplistas quando afirmamos que só há duas religiões, no que se refere à questão da salvação. De um lado, as religiões que afirmam o mérito do indivíduo como critério para a salvação do homem, em geral, mediante o cumprimento de leis e da prática do bem, Assim, a pessoa tem de merecer o perdão e as bênçãos de Deus. Por esse sistema, um dia as obras de cada ser humano serão postas na balança e, se as boas ações superarem seus deslizes, a pessoa será perdoada por Deus e entrará em um lugar melhor, mas, se a pessoa cometeu mais erros do que acertos, será condenada por Deus.

Do outro lado, há outra religião, bem diferente da fé que advoga salvação meritória. Essa forma de ver as coisas diz que o ser humano é incapaz de fazer qualquer coisa que agrade a Deus, e, por mais que se esforce, nunca chegará ao ponto de merecer da parte do Criador o perdão para o menor de seus pecados. E isso porque o homem está manchado pelo pecado, contaminado pela sua corrupção, morto em seus delitos, surdo para Deus, sem entendimento espiritual. E essa religião é o cristianismo bíblico (At 4.11-12). Como resultado, Deus, na sua misericórdia, veio salvar esse homem (Jo 3.16).

Enquanto em todas as outras religiões que comentamos anteriormente a salvação começa de baixo para tentar chegar em cima, no cristianismo bíblico ela começa em cima e vem nos buscar em baixo. É Deus quem desceu do céu na pessoa de Jesus Cristo, tomou a nossa identidade humana, se tornou um de nós, encarnou-se, nasceu e viveu, morreu na cruz pelos nossos pecados e ressuscitou dentre os mortos ao terceiro dia. De um lado, as religiões do mérito; do outro, a religião da graça, do favor e da misericórdia de Deus.

Que tipo de religião se adequa melhor à nossa situação, uma que demanda mérito ou uma que oferece graça, perdão e misericórdia mediante o sacrifício de Jesus Cristo? Conhecendo a mim mesmo como pessoa, eu quero a graça de Deus, quero o seu perdão. Porque sei que não consigo guardar perfeitamente a Lei de Deus. Se você for honesto, verá que desobedece diariamente à lei divina, que já mentiu, cobiçou o que não é seu, sentiu ódio, quis que alguém morresse, falhou em seus compromissos, disse coisas que não devia, insultou outras pessoas e por aí vai.

Portanto, qual é a religião que salva, que nos leva à eternidade com Deus? Só pode ser aquela que oferece perdão e misericórdia ao pecador que se arrepende. Devemos nos arrepender, reconhecer que somos pecadores indignos e não merecemos o favor de Deus. Devemos nos humilhar diante do Senhor e receber gratuitamente, pela fé, Jesus Cristo, o Filho de Deus, como nosso Salvador. É isso que salva o pecador. É isso que traz o perdão. É isso que de fato nos *religa*.

Essa é a verdadeira religião.

QUAL É A IGREJA VERDADEIRA?

Há no Brasil, hoje, uma imensa multiplicação de igrejas ditas cristãs, com nomes diferentes, maneiras distintas de enxergar e interpretar a Bíblia, usos e costumes diversos, múltiplos jeitos de falar umas das outras e assim por diante. Frente a tantas igrejas que se dizem cristãs, ou evangélicas, como podemos saber qual é a verdadeira?

O referencial é a Bíblia. Nós encontramos na Escritura a revelação que Deus dá de si mesmo. Temos de considerá-la como a única fonte confiável, para, a partir daí, construir a identidade da verdadeira igreja. Como as pessoas dizem que a Bíblia pode ser interpretada de várias maneiras e como todas as igrejas apelam para a autoridade da Escritura, fica a dúvida sobre quais são as igrejas verdadeiras (ou a Igreja verdadeira).

Para resolver essa questão, temos de ler a Bíblia da maneira correta. Ela não pode ser lida de forma espiritualizada ou alegórica. Temos de ler a Bíblia normalmente, como um texto, e um texto que se sujeita às regras normais de interpretação.

O sentido de um texto das Escrituras geralmente é o mais simples, emoldurado pelo contexto. Temos de considerar o contexto todo, e não uma passagem isolada. Precisamos comparar cada passagem com outras e, a partir desse trabalho, construir o sentido, o significado do texto bíblico lido.

Quando fazemos isso, percebemos que, de acordo com a Bíblia, para uma igreja ser considerada cristã, deve, primeiro, crer e confessar que Jesus é o Filho de Deus. Que ele nasceu de uma virgem, morreu por nossos pecados, ressuscitou ao terceiro dia e subiu aos céus. Que a salvação nos é dada gratuitamente por Deus mediante a fé em seu sacrifício e na sua ressurreição, e que somos pecadores incapazes e indignos do perdão de Deus, impotentes para resolver nosso problema espiritual. Que o pecado nos afasta de Deus, nos torna devedores dele e, por isso, não podemos nos salvar — por nós mesmos não podemos merecer perdão e salvação divinos, mas apenas na pessoa de Jesus.

Se uma igreja crê e confessa isso, que Jesus é nosso único e suficiente Salvador, o único mediador entre Deus e os homens, então temos uma igreja que estará fundamentada sobre a verdade essencial do cristianismo (Tt 3.4-6; 1Tm 2.5). Some-se a isso algumas outras características dela decorrentes. Uma igreja verdadeira anunciará a Palavra de Cristo, ensinará os valores do Senhor, desejará que seus adeptos sigam aquilo que o Mestre ensinou. Igreja que não evangeliza precisa ser evangelizada. Uma igreja saudável enfoca o ensino e o discipulado e procurará tratar das necessidades pessoais diárias daquelas pessoas que professam a fé em Jesus Cristo.

Neste ponto, precisamos falar sobre dinheiro, ponto levantado hoje em dia pela mídia secular contra as igrejas evangélicas. Igreja evangélica ou qualquer outra igreja precisa de recursos para poder funcionar como instituição. Num certo sentido encontramos isso na Bíblia, quando Jesus diz aos seus discípulos que eles vivessem do evangelho e que, quando entrassem em alguma casa, comessem do que fosse oferecido, vivessem da caridade e da boa vontade do povo (Lc 10.7-8).

Uma pessoa que foi alcançada pela Palavra de Deus, perdoada pela graça e salva por Jesus Cristo quererá demonstrar sua gratidão a Deus. A contribuição financeira faz parte dessa gratidão. O grande problema é que há igrejas autodenominadas evangélicas que usam essa questão financeira como "carro-chefe" de sua estrutura e de seus ministérios. São instituições construídas em cima da exploração da fé das pessoas, que propõem pactos e barganhas com Deus, sob a alegação de que o que for entregue será recebido em dobro, que a oferta é como uma semente plantada que será colhida sempre com abundância.

O cerne do problema é que a mensagem que caracteriza a verdadeira igreja, a respeito da morte e da ressurreição de Cristo, para nossa redenção e nosso perdão, acaba sendo substituída por uma pregação a respeito de vitórias, prosperidade, sucessos na vida, curas e soluções para os problemas cotidianos. Há uma distorção do que seria a verdadeira mensagem evangélica, a ponto de a mensagem da cruz ficar totalmente irreconhecível dentro de algumas dessas igrejas.

Por essa razão, a sociedade acaba por nivelar igreja evangélica e evangelho por esses conceitos distorcidos da mensagem cristã, e terminam por jogar todos na mesma vala. A realidade é que, entre as igrejas evangélicas, há seitas "evangélicas". Tais seitas usam o linguajar evangélico, a Bíblia, os hinos, os cânticos e muitos outros recursos associados ao protestantismo, mas com a intenção de pregar prosperidade e exigir do povo que, para se reconciliar com Deus, é preciso ofertar o que se tem e até o que não se tem.

A conclusão é que uma instituição construída em cima da Teologia da Prosperidade, que foca em barganhas com Deus, que não fala da necessidade de mudança de vida, arrependimento, quebrantamento, santificação, fé em Jesus Cristo e vida conduzida por seus caminhos e ensinamentos, não é igreja evangélica, mas, sim, uma seita.

COMO ESCOLHER A MELHOR IGREJA?

Acredito que existem alguns critérios que devem conduzir uma pessoa na escolha da igreja em que congregará. Pertencer a uma igreja local, aquilo que costuma se chamar de igreja institucional, é extremamente importante para quem professa a fé em Cristo. Muita gente — em especial os chamados "desigrejados" — se opõe à ideia de igreja institucional, o que nos leva a refletir sobre isso.

Se um grupo de pessoas cristãs se reúne de forma sistemática, a complexidade das reuniões e dessa estrutura pede certo grau de organização. Por exemplo: será preciso ter um lugar para se reunir. O passo seguinte é alugar um local para a reunião, o que exige um CNPJ. Em seguida, haverá a necessidade de decidir que qualidades os líderes ou os que poderão ajudar na igreja deverão ter, o que exige um regimento. O crescimento desse ajuntamento pode chegar a tal ponto que será necessário pessoal trabalhando em tempo integral para ajudar as pessoas que se achegam a esse grupo e, para isso, é necessário estipular salários.

A conclusão é que não há como fugir desse aspecto organizacional. A igreja, em sua simplicidade e pureza, foi estabelecida por Jesus Cristo (Mt 16), que criou e idealizou a Igreja como a união, o conjunto ou a comunhão daqueles que reconhecem e professam que ele é o Filho do Deus vivo. Não podemos, pois, negar essa verdade baseando-nos na argumentação de que a igreja usa indevidamente o nome de Deus e comete erros terríveis. Em outras palavras, não podemos negar que o conceito de Igreja é bíblico.

Partindo desse princípio, devemos pensar nas características que uma igreja local precisa ter para que decidamos fazer parte dela. Primeiro, é preciso identificar se ali se confessa que Jesus é o Cristo, o Filho do Deus vivo, divino, o Messias enviado para ser o Salvador do mundo. Segundo, a igreja tem de se organizar a ponto de cuidar e zelar pela vida de seus membros, o que pressupõe admitir somente aqueles que se submetem à regra de fé e prática, que são as Escrituras Sagradas. Terceiro, a igreja local tem de abraçar a ideia de que o batismo é para ser feito na fórmula trinitária, isto é, em nome do Pai, do Filho e do Espírito Santo, e que seus membros precisam ser batizados. Quarto, a igreja deve celebrar a ceia do Senhor, em memória dele.

Portanto, se ouvirmos convites para "procurar uma igreja em que você se sinta bem", devemos recusar. O convite a que devemos atender é: "Procure uma igreja onde a Palavra de Deus é pregada e onde se leve a sério a questão do batismo, da ceia e do discipulado", afinal, o propósito de uma igreja é edificar os cristãos na fé em Jesus Cristo.

COMO A IGREJA DEVE LIDAR COM O DINHEIRO?

Uma grande quantidade de igrejas e pastores tem o dinheiro como tema central de suas reuniões, simplesmente porque religião sempre foi um bom negócio. Se olharmos a história da humanidade, veremos que em todas as épocas houve pessoas que viram a religião como fonte de lucro. Por meio da manipulação e da dissimulação, elas usam a fé dos incautos e dela tiram proveito, usando o nome de Deus.

Infelizmente, o cristianismo não está imune ao charlatanismo. Há, sim, muitas pessoas que usam o nome de Deus, de Cristo, do evangelho para se promover e ter expressivo lucro financeiro. Mas é importante lembrarmos que, apesar dos abusos cometidos, a Bíblia fala de dinheiro. Aliás a Bíblia menciona mais o dinheiro do que o amor.

No Antigo Testamento, por exemplo, encontramos a história de Abraão, um homem riquíssimo, que regularmente consagrava a Deus tudo o que possuía (Gn 13.2). Abraão foi o primeiro a dar o dízimo (Gn 14.18-20). Depois, encontramos Jacó e os patriarcas fazendo o mesmo (Gn 28.20-22). Posteriormente, quando Deus transmitiu a Lei a Moisés, vemos que o israelita fiel foi instado a mostrar a sua gratidão ao Senhor entregando as primícias do rebanho ou da colheita, com regularidade e generosidade, proporcionalmente ao que Deus lhe havia concedido (Nm 18.24)

Já no Novo Testamento encontramos Jesus fazendo a mesma coisa. Além disso, ele elogiou a viúva pobre que deu tudo o que tinha para a manutenção do serviço religioso em Jerusalém (Mc 12.41-44). Em outra ocasião, Jesus criticou o jovem rico, um homem apegado aos seus bens, que não queria abrir mão deles a fim de ajudar os pobres e os necessitados (Mt 19.20-22).

Encontramos, ainda, o apóstolo Paulo dando orientações para um levantamento de ofertas a fim de solucionar uma crise que havia em Jerusalém (2Co 8—9). E Paulo diz: "Deus ama quem dá com alegria" (2Co 9.7).

O que quero dizer com tudo isso é que, apesar dos abusos que se cometem em nome de Cristo e do evangelho por mercenários, falsos profetas e charlatões, isso não quer dizer que o cristianismo autêntico prescinda da questão financeira. A Bíblia nos ensina que, em gratidão a Deus pelo que ele nos dá, pelo que ele nos fez e pelo que ele é, devemos contribuir para ajudar os pobres, estender a mão com alegria para ajudar os necessitados e ofertar para dar prosseguimento à obra de Deus na evangelização e ao crescimento de seu reino neste mundo. Tudo isso, de fato, está escrito na Bíblia (Pv 14.31; 19.17; 22.9; 28.27; 31.20; Mt 19.21; Gl 2.10).

Hoje em dia, o segmento dentro do evangelicalismo que mais tem deturpado esses princípios bíblicos de contribuição é o da Teologia da Prosperidade, uma teologia que nasceu nos Estados Unidos e veio posteriormente para o Brasil. É um sistema de pensamento segundo o qual Deus deseja que todos os seus filhos sejam ricos e prósperos nesta vida. Assim, segundo esse pensamento, todos deveríamos ter casa própria, ser donos de negócios, possuir carros, ser abençoados financeiramente. Não deveríamos ter dívidas. Então, os adeptos abraçam a ideia de que Deus quer nos abençoar materialmente, o pilar fundamental dessa teologia. Mas, para que o Senhor nos abençoe financeiramente, os pregadores da prosperidade afirmam que precisamos investir no reino de Deus, "plantar a semente" (a oferta que damos à igreja). Se a pessoa dá pouco, dizem, a bênção de Deus será pouca. Mas, se dá muito, a bênção também será muita.

A questão é que essa teologia está errada. Deus nunca prometeu abençoar financeira, física e materialmente todas as pessoas em todas as épocas. Deus dá a quem ele quer e como ele quer. Provas disso são João Batista, que morreu na prisão (Mt 14.8-21), o apóstolo Paulo, que não possuía nada (Fl 4.11-13), e Jesus Cristo, que dependia do barco dos outros (Lc 5.1-3) e do jumento dos outros (Mt 21.7. Cf. 8.18-22). Então, é uma teologia totalmente errada.

Os propagadores desse ensino equivocado dizem para os incautos que se fizerem um sacrifício financeiro, que se contribuírem com um valor específico, Deus haverá de dar em dobro, o triplo, multiplicando tudo o que têm. É claro que isso não é verdade. Não acontece dessa forma. Basta fazermos uma pesquisa e verificaremos a realidade ao observar o segmento social das pessoas que estão atrás dessas ideias. Na verdade, somente os líderes desses segmentos prosperam, porque estão arrecadando dinheiro dessas pessoas por meio de promessas e campanhas.

Há coisas que a Bíblia simplesmente não autoriza. Devemos ajudar o necessitado e contribuir com missões, mas sempre com altruísmo, voluntariamente, sem esperar nada em troca. Se Deus quiser nos abençoar financeiramente, ele assim o fará. O Senhor não precisa desse tipo de coisa. A maneira correta é pensar que estou entregando meu dízimo não para ser abençoado, mas porque eu *já fui* abençoado. O dízimo é uma expressão daquilo que eu já recebi da parte de Deus.

A Bíblia traz muitas orientações a respeito da manipulação do dinheiro ou de como devemos nos portar diante dele. A Escritura fala a respeito da necessidade do trabalho, de ganhar o sustento honestamente, de prover a família, de cuidar dos filhos, de investir nos pobres, de socorrer os necessitados e, finalmente, também, em meio a tudo isso, de ajudar a igreja nas suas necessidades. Jesus disse que não devemos andar ansiosos quanto ao que vestiremos, beberemos ou comeremos, porque Deus cuida de nós como cuida dos passarinhos. Portanto, a orientação é: busque primeiro o reino de Deus e sua justiça e todas as demais coisas lhes serão acrescentadas (Mt 6.25-33)

Deus não está atrás de seu dinheiro. Ele está atrás de seu coração.

RELIGIÃO PODE SE MISTURAR COM POLÍTICA?

Diante de um cenário nacional em que as autoridades máximas de nosso país estão sendo investigadas por suspeita (ou comprovação, em alguns casos) de corrupção, lavagem de dinheiro e outros crimes, nós, cristãos, devemos nos posicionar frente às autoridades de nossa nação de maneira bíblica.

O fato de sermos cidadãos do reino celestial não nos exime de termos cidadania terrena. Somos cidadãos brasileiros e temos direitos e deveres tanto quanto qualquer outro agrupamento social. Não podemos negligenciar a política em nome da cristandade. Acredito que nos cabe, como crentes em Jesus Cristo, em primeiro lugar, orar pelas autoridades. O apóstolo Paulo nos ensina isso em 1Timóteo 2, onde estipula que todos nós oremos pelos que estão em funções de autoridade, a fim de termos uma vida tranquila, com toda modéstia, para que ganhemos o pão com tranquilidade. Por mais que eventualmente discordemos do governo ou do partido que está no poder, é nosso dever orar pelas autoridades. E, isso, por uma simples razão: todas as autoridades que existem foram constituídas por Deus (Rm 13.1).

Isso, porém, não quer dizer que as decisões políticas estejam sempre certas. Mas a posição pública delas foi algo estabelecido por Deus, pois foi assim que o Senhor estruturou a sociedade humana: estabelecendo autoridades. Encontramos autoridades na família, pois o marido é o cabeça da mulher (Ef 5.22-23), na igreja (Ef 4.11-13) e no governo.

Só Deus tem autoridade absoluta. As autoridades humanas são levantadas pelo Altíssimo para que a humanidade caminhe em paz, multiplique-se e encontre neste mundo o bem comum, a felicidade e a prosperidade que todos desejamos. Como as autoridades procedem de Deus, devemos orar em seu favor, pedindo ao Senhor que elas acertem e façam leis justas, que a polícia faça seu trabalho com humanidade, que os malfeitores sejam punidos, que os bons cidadãos sejam recompensados, e que haja justiça e, na medida do possível, igualdade.

Além de orar pelas autoridades, os cristãos devem se submeter a elas quando estiverem corretas. Há leis que são justas, verdadeiras, boas e necessárias. Devemos nos submeter a elas, porque toda autoridade procede de Deus. Assim sendo, devemos dar o bom exemplo. Temos de ser bons cidadãos, guardar as leis e zelar por elas, exceto se a legislação afrontar nossa consciência cristã.

Nós encontramos na Bíblia o que chamamos de desobediência civil. No Antigo Testamento, temos o caso do faraó que determinou que as parteiras matassem os meninos dos hebreus. Elas desobedeceram e não mataram — e as Escrituras dizem que Deus as abençoou por isso (Êx 1.16-21). No Novo Testamento, encontramos uma determinação do Sinédrio, que era a autoridade maior de Israel, para que os apóstolos não pregassem mais, que não ensinassem no nome de Jesus. Eles simplesmente desobedeceram e disseram que era mais importante obedecer a Deus do que aos homens (At 5.27-29).

Portanto, quando um governo promulga leis que contrariam a minha consciência, a liberdade de expressão, a liberdade de consciência e de religião, temos o dever de protestar, de reagir e lutar contra tais decisões. E há mecanismos para isso. Nós podemos protestar, adotar ações legais e constitucionais, fazer representações e outras medidas. Em um sistema democrático cabem manifestações pacíficas, ordeiras e respeitosas.

Há ainda aquilo que chamamos de função profética da Igreja. Isso significa que a Igreja pode funcionar como consciência do Estado. Por exemplo, alertando os governantes de que eles prestarão contas a Deus pela forma como estão usando o dinheiro público, exercendo a autoridade, tratando as liberdades da população e coisas assim. Um dia, todas as autoridades terão de se ver com Deus, e a Igreja deve adverti-las a respeito dessa realidade. Ninguém quer colidir de frente com o poder, mas esse é um dos chamados da Igreja: funcionar como consciência do Estado.

Acredito que essa seja uma área em que temos falhado no Brasil. As igrejas históricas e as pentecostais poderiam se manifestar mais contra o que está acontecendo: corrupção, descalabro, exploração, injustiça. Muitos dizem que política e religião não se misturam, mas isso é verdade em termos. Depende. Eu não acredito que uma igreja deva fazer política partidária, mas ela pode encorajar seus membros a votar corretamente, a usar do sistema democrático, a utilizar os recursos que temos hoje no Brasil para protestar.

Eu creio que as igrejas devem preparar jovens para trabalharem na política, dando-lhes uma cosmovisão cristã. Ensinando-lhes os valores cristãos para fazerem uma boa política e estarem preparados para debater racionalmente, em alto nível. A política em si é boa, não há nada de errado com ela. O errado é a politicagem. Como cristãos, devemos participar ativamente. A igreja como instituição não deve participar da política partidária, mas deve, sim, estimular, preparar e encorajar seus membros a se envolver.

POR QUE, COMO E COM QUE OBJETIVO A IGREJA DEVE DISCIPLINAR OS DESOBEDIENTES?

Uma das marcas da Igreja, destacada pelos reformadores, é a aplicação da disciplina bíblica. Existe base bíblica para que a Igreja seja disciplinadora? O que é essa disciplina? A resposta é que a disciplina bíblica é o exercício realizado pela igreja de manter-se pura e ajudar os membros e as pessoas que estão a ela agregados a andar de maneira adequada diante de Deus. É um processo que envolve exortação, pastorado, advertência e até mesmo uma medida mais séria, que é a exclusão.

O alvo da disciplina de acordo com a Bíblia deve ser sempre a recuperação da pessoa que errou. Portanto, ao contrário do que se pensa, a disciplina não é um ato pelo qual a igreja expulsa os malfeitores de seu meio, mas um mecanismo que visa a restaurar vidas humanas. Não se trata de uma eutanásia, mas de um ato de amor. A igreja procura ajudar uma pessoa teimosa, obstinada, a enxergar seu próprio erro, a se arrepender e voltar aos caminhos de Deus.

A base bíblica para esse procedimento está no próprio relacionamento de Deus com a Igreja. Hebreus 12 diz que, como um pai disciplina seu filho, assim Deus disciplina aqueles que são seus. Também diz que a disciplina pode inicialmente ser motivo de alegria, mas, posteriormente, produzirá o fruto de justiça. O texto também afirma que Deus nos disciplina para sermos participantes da sua santidade e que o Senhor açoita todo aquele que recebe por filho.

A base bíblica para que a igreja proceda como um pai em relação aos seus filhos é, em primeiro lugar, a forma como Deus se relaciona conosco. Em segundo lugar, Jesus deixou clara a necessidade de a igreja disciplinar os membros desobedientes. Vemos essa questão ser tratada também por Jesus:

> Se um irmão pecar contra você, fale com ele em particular e chame-lhe a atenção para o erro. Se ele o ouvir, você terá recuperado seu irmão. Mas, se ele não o ouvir, leve consigo um ou dois outros e fale com ele novamente, para que tudo que você disser seja confirmado por duas ou três testemunhas. Se ainda assim ele se recusar a ouvir, apresente o caso à igreja. Então, se ele não aceitar nem mesmo a decisão da igreja, trate-o como gentio ou como cobrador de impostos.
>
> Mateus 18.15-17

Essa passagem bíblica mostra que Jesus ensinou o processo disciplinar com base em três passos. Primeiro: chamar a atenção em particular. Segundo: chamar a atenção com base em um comitê pequeno. Terceiro: levar o caso à igreja. E, se a pessoa não se arrepender depois dessas três oportunidades, pedindo perdão, mudando de entendimento, ficará claro que ela não faz parte da Igreja de Cristo. Se seu pecado for claro, essa pessoa deve ser desligada para seu próprio bem e para o bem da igreja. O objetivo maior é fazê-la refletir, pensar na gravidade de seus atos e, quem sabe, se arrepender, retornando à igreja.

O apóstolo Paulo aplicou esse princípio ensinado por Jesus em algumas circunstâncias. Sabemos disso pelas cartas que escreveu. Para mim, o exemplo mais claro da aplicação desse princípio está em 1Coríntios 5, quando Paulo repreende a igreja de Corinto porque não disciplinou um de seus membros, que vivia com a mulher de seu pai — sua madrasta. O cidadão mantinha relações com a mulher de seu pai e isso era do conhecimento não só da igreja, mas até da cidade. Era um fato público, que estava trazendo escândalo, depondo contra o cristianismo. Isso não era aceito nem na sociedade da época, quanto mais dentro da igreja, formada por pessoas que se diziam crentes em Jesus.

Portanto, Paulo repreende a igreja por estar tolerando aquela situação e determina que a pessoa seja expulsa da comunidade. A orientação do apóstolo é forte: "Entreguem esse homem a Satanás, para que o corpo seja punido e o espírito seja salvo no dia do Senhor" (1Co 5.5). Percebe-se que a intenção de Paulo era a salvação da pessoa expulsa da igreja, mediante arrependimento e abandono do pecado. Em 2Tessalonicenses 3.14, Paulo diz que a igreja deve afastar aqueles que são desobedientes à Palavra de Deus, e não se associar a eles. Ou seja, era necessário tirá-los da comunhão, da participação da vida da igreja. Essas são algumas das bases bíblicas para que a igreja discipline os membros que estão em pecado, entendendo-se como pecado toda a quebra da lei de Deus.

Algumas pessoas têm dúvidas sobre a razão de a igreja ser tão severa com relação a pecados sexuais e não com relação a pecados como a desonra a pai e mãe ou maledicências. São dúvidas procedentes. A igreja deveria disciplinar e cuidar, também, dos membros que cometem esse tipo de pecado "menos escandaloso". Afinal, nas listas de pecados que encontramos no Novo Testamento, vemos o adultério ao lado da mentira e a prática da homossexualidade ao lado da avareza, por exemplo. Portanto, todos esses pecados deveriam ser objeto de disciplina. A igreja deveria chamar os membros da igreja que são maldizentes, para usar o exemplo, a fim de serem admoestados e advertidos, a fim de que mudem de vida. E, caso a pessoa não obedeça, deve ser excluída da igreja. Como qualquer outra pessoa que tenha cometido, por exemplo, adultério ou outro tipo de pecado.

A disciplina ajuda a pessoa individualmente e as pessoas que estão ao redor. Por exemplo, a Bíblia fala de honestidade. Uma pessoa desonesta sendo admoestada a voltar para o caminho da honestidade, da verdade, é afetada junto com a sua família e a sociedade como um todo — e serve de exemplo. Se a igreja começasse a disciplinar quem é fofoqueiro, quem assim procede em secreto ficaria em estado de alerta. Esta é uma das vantagens da disciplina: ela traz temor e quebrantamento, e eleva o padrão de santidade.

Às vezes, as pessoas fazem afirmações como: "Quem somos nós para julgar uns aos outros? Não somos todos pecadores?". É verdade. Mas a disciplina é para uma pessoa que não está arrependida. O cristão é um pecador, mas é um pecador arrependido, que não quer praticar o pecado, não quer desobedecer a Deus. Porém, quando ele peca e não se arrepende, é preciso que os outros pecadores que não estão comungando de seu pecado o ajudem a perceber seu erro.

QUEM PODE SER PASTOR?

Muitos anos atrás, quando fui consagrado pastor pela Igreja Presbiteriana do Brasil, decidi alugar um apartamento em Recife, perto de onde iria trabalhar. Como eu estava começando a vida, não tinha fiador. Quando o dono do apartamento que eu desejava alugar soube que eu era pastor, disse: "Não precisa de fiador. O senhor é pastor presbiteriano? Então não precisa de fiador, para mim basta a sua palavra". Tenho certeza de que, se hoje eu fosse alugar um apartamento e o dono do apartamento soubesse que eu sou pastor, pediria uns quatro fiadores.

Infelizmente, a atividade pastoral está em desgraça no Brasil. Às vezes tenho vergonha de me apresentar. Quando vou a um hotel e tenho de preencher uma ficha de cadastro, na linha em que devo escrever qual é minha "profissão", escrevo "pastor evangélico" olhando meio de lado, com medo de alguém dizer: "Mais um charlatão, picareta ou mercenário!".

Em nossos dias, a figura do pastor ficou estereotipada por conta da atuação dos pastores midiáticos, aqueles que têm um canal de televisão ou de rádio nas mãos e pregam a Teologia da Prosperidade, governam e comandam impérios financeiros usando muitas vezes meios escusos, gerando escândalos financeiros. Uma vez que é a imagem dessas pessoas que chega à população em geral, é natural que o não cristão pense que todo pastor age do mesmo jeito. Até que se prove que "focinho de porco não é tomada", você já foi considerado mercenário ou mais um ladrão.

Certa vez, ao tentar entrar em determinado país, sofri assédio na alfândega. No momento em que me apresentei como pastor, tive de ouvir piadinhas infames. Isso em razão de um líder religioso ter sido flagrado dois anos antes entrando naquele país com milhares de dólares escondidos numa Bíblia. Isso é muito triste.

A verdade é que a Bíblia nos ensina que surgiriam falsos mestres, falsos pastores e falsos profetas, que, em nome do cristianismo, fariam negócios. Inclusive, manipulando a credulidade das pessoas, em benefício de si mesmos (Mt 24.10-11). O próprio Jesus disse a seus discípulos que, futuramente, muitos viriam em seu nome e enganariam muitos.

Em suas cartas, o apóstolo Paulo denuncia com frequência os falsos mestres, a quem ele chama de ministros de Satanás. E, à semelhança de Satanás, eles se transfiguram em anjos de luz. São mercadores da Palavra de Deus. Por sua vez, o apóstolo João se refere a esses falsos mestres como anticristos: "Eles saíram de nosso meio, mas, na verdade, nunca foram dos nossos; do contrário, teriam permanecido conosco. Quando saíram, mostraram que não eram dos nossos" (1Jo 2.19).

A verdade é que nunca ficaremos livres dos maus pastores e dos falsos pastores. São pessoas que usam esses títulos e outros títulos — como "bispo", "bispo primaz", "patriarca" e "apóstolo" — para assumir o controle, o domínio, a supremacia da fé das pessoas e valer-se disso para benefício próprio, quer seja em termos financeiros, quer em popularidade e assim por diante.

Porém, o fato de existirem falsos pastores e pastores que abusam dessa condição não deveria nos impedir de ver que a Bíblia fala de bons pastores. Deus levanta pessoas por meio das quais ele traz a sua verdade, leva avante seu reino, encoraja, abençoa e ajuda as demais pessoas.

O ofício do pastor aparece em Efésios 4, quando o apóstolo Paulo diz que Cristo deu à igreja apóstolos, profetas, evangelistas, pastores e mestres. Inclusive a palavra "pastores" aparece junto de "mestre", dando a ideia de que se trata de uma coisa só. O pastor verdadeiro é, na verdade, um mestre. É um expositor da Palavra de Deus, que por meio do ensino pastoreia e orienta as pessoas nas decisões que precisam tomar, as ajuda em um momento de sofrimento e lhes dá norteamentos na vida.

Paulo descreveu as qualificações das pessoas que almejam servir a Deus como pastor em 1Timóteo 3. Diz assim o texto: "Esta é uma afirmação digna de confiança: 'Se alguém deseja ser bispo, deseja uma tarefa honrosa'" (v. 1). Episcopado, aqui, tem o mesmo sentido de pastorado, pois "bispo", "pastor" e "presbítero" possuem todos a mesma função na Bíblia. Em seguida, Paulo prossegue:

> Portanto, o bispo [pastor] deve ter uma vida irrepreensível. Deve ser marido de uma só mulher, ter autocontrole, viver sabiamente e ter boa reputação. Deve ser hospitaleiro e apto a ensinar. Não deve beber vinho em excesso, nem ser violento. Antes, deve ser amável, pacífico e desapegado do dinheiro. Deve liderar bem a própria família e ter filhos que o respeitem e lhe obedeçam. Pois, se um homem não é capaz de liderar a própria família, como poderá cuidar da igreja de Deus? Não deve ser recém-convertido, pois poderia se tornar orgulhoso, e o diabo o

faria cair. Além disso, os que são de fora devem falar bem dele, para que não seja desacreditado e caia na armadilha do diabo.

1Timóteo 3.2-7

Trata-se, portanto, de uma citação que põe em xeque muita gente. De acordo com a Bíblia, para ser pastor, a pessoa deve ter algumas qualidades morais, como se vê na lista apresentada. Deve ser uma pessoa sóbria, modesta, irrepreensível, inimiga de contendas, generosa, enfim, deve ter essas qualidades morais. Não poderia ser diferente, já que o pastor servirá de exemplo; ele será o líder da comunidade e um referencial para as pessoas. Além disso, o pastor precisa de autoridade para ensinar. Como ele vai ensinar as pessoas a ser aquilo que ele não é?

Também vemos nessa lista, além das qualificações morais, características sociais. Por exemplo, o pastor precisa ter boa fama junto às pessoas de fora de seu contexto, como o balconista do mercado e o padeiro. Ele tem de ser alguém a respeito de quem um vendedor diga: "Ah, sim, sei quem é o pastor fulano. Ele veio comprar aqui, pagou devidamente, foi muito honesto em seu compromisso". O pastor deve ser uma pessoa irrepreensível nas relações sociais, dando bom testemunho e sendo hospitaleiro.

E há, por fim, requerimentos na área familiar. Diz o texto bíblico que o pastor tem de governar a sua família e ter os filhos sob disciplina. A questão aqui é a seguinte: se ele não consegue governar, orientar e pastorear a sua família, como ele fará isso com a família dos outros? O texto não quer dizer que até o fim da vida os filhos de pastores têm de frequentar alguma igreja para que o pastor mantenha sua qualificação, mas, sim, que, enquanto os filhos são pequenos e estão debaixo da autoridade do pastor, devem ser orientados por ele dentro da fé cristã. Desse modo, se o pastor tem filhos que são crianças ou adolescentes completamente rebeldes, que não servem a Deus e vão contra sua Palavra, isso já diz algo a respeito do pai.

Uma última qualificação é em relação a saber ensinar. A Bíblia diz que o pastor tem de ser apto a ensinar. Isso significa que ele precisa conhecer a teologia cristã e a Bíblia; precisa pregar bem e ser um bom professor. Em outras palavras, não é qualquer pessoa que pode ser pastor, mas, sim, alguém chamado por Deus e que tenha todas essas qualificações.

MULHERES PODEM SER ORDENADAS AO MINISTÉRIO PASTORAL?

Muitas denominações evangélicas não ordenam mulheres como pastoras. Afinal, existe base bíblica em favor ou contra a ordenação feminina? Para tratar deste assunto, é importante esclarecer que o que está em jogo nessa questão não é a capacidade das mulheres nem sua igualdade como pessoas diante de Deus. A Bíblia diz que a mulher foi criada, junto com o homem, à imagem e semelhança de Deus. Ambos têm o mesmo valor diante do Senhor, sendo espiritualmente capazes, na mesma proporção. A Bíblia nunca contempla a mulher como alguém inferior ao homem. É preciso que isso fique claro.

Também precisa ficar claro que a Igreja sempre deve ser guiada pelo que a Bíblia diz ao tratar de questões dessa natureza. Assuntos como esse são sempre modificados pela cultura em que vivemos. Um dia a cultura já foi contra, hoje é a favor, depois pode mudar novamente o que valorizava anteriormente. Por essa razão, a Igreja não pode se basear em algo fluido como a cultura, mas precisa ter um referencial sólido, duradouro e permanente, e é por isso que a Bíblia é nossa regra de fé e prática.

A Bíblia apresenta, sem a menor dúvida, a mulher como detentora de um papel destacado, especial. No Antigo Testamento, encontramos mulheres como Hulda e Débora, que eram juízas e profetisas. No Novo Testamento, vemos mulheres que seguiram Jesus, que o auxiliavam com seus bens e que abriam sua casa para abrigar igrejas.

Paulo menciona mais de dez mulheres nas saudações que faz à igreja de Roma (Rm 16). Paulo reconhece a instrumentalidade de diversas mulheres, bem como seu trabalho, e destaca uma em especial: Febe, que já tinha ajudado muita gente, inclusive ele próprio. Encontramos na Bíblia, ainda, mulheres como Priscila, que, junto com seu marido, Áquila, orientou Apolo em um momento de encruzilhada doutrinária.

Portanto, o que está em questão não é se a mulher tem um papel especial ou preponderante na vida da igreja, mas por que não encontramos nem no Antigo Testamento nem no Novo Testamento menção a mulheres em posição de governo espiritual das comunidades.

No Antigo Testamento, essa posição seria o papel da sacerdotisa, uma vez que os sacerdotes em Israel eram consagrados e ungidos a fim de ser líderes espirituais da nação. No Novo Testamento, vemos apóstolos, presbíteros, diáconos e pastores. A pergunta é: por que, apesar de ter vencido todos os preconceitos, conversado com uma mulher samaritana (Jo 4.6-29), aparecido primeiro às mulheres no dia da ressurreição (Mc 16.9) e resgatado o papel delas na sociedade em que viviam, Jesus não levantou nenhuma "apóstola", "bispa" (ou "episcopisa"), "presbítera" e "pastora" no Novo Testamento?

Mais ainda, por que o apóstolo Paulo disse que não é permitido que a mulher exerça um papel de autoridade, ensinando (1Tm 2.12)? Por que ele insiste em dizer que a mulher deve se portar como alguém que está debaixo de autoridade? Temos isso em 1Coríntios 11, 1Coríntios 14 e Efésios 5, quando Paulo define o papel do homem e da mulher no casamento. Temos isso em 1Timóteo 2. Várias passagens nos falam com clareza que, da perspectiva bíblica, o ministério feminino deve ser realizado, mas é vedado o exercício da autoridade espiritual de forma consagrada e ungida por parte das mulheres.

A argumentação utilizada em nossos dias para justificar a ordenação feminina é do tipo: "Paulo estava se dirigindo a pessoas de sua época", "Paulo refletia a cultura da sociedade em que estava inserido" e coisas assim. Mas o argumento de Paulo não é cultural, e sim doutrinário. Quando disse que a mulher deveria estar debaixo de autoridade, em 1Coríntios 11, ele diz: "o cabeça de todo homem é Cristo, o cabeça da mulher é o homem, e o cabeça de Cristo é Deus" (1Co 11.3), isto é, trata-se de um argumento baseado na Trindade. Começa na Trindade e termina na relação do homem e da mulher no que diz respeito ao contexto da igreja. Trata-se, portanto, de um argumento doutrinário-teológico, não de um argumento cultural.

Ainda no mesmo capítulo, Paulo diz que a mulher não pode ocupar essa função de autoridade porque Deus primeiro fez o homem e, depois, a mulher; porque a mulher foi feita por causa do homem e não o homem por causa da mulher e porque a mulher foi tirada do homem e não o homem da mulher. Portanto, Paulo vê na sequência da criação do homem e da mulher uma pré-ordenação divina no que diz respeito aos papéis diferentes que o homem e a mulher deveriam exercer, tanto no casamento quanto na igreja. Em todos estes casos, a argumentação de Paulo é doutrinário-teológica.

Em 1Timóteo 2, quando Paulo diz que não permite que a mulher ensine, nem exerça autoridade de homem, ele justifica afirmando que Adão não foi enganado, mas a mulher, sendo enganada, caiu em transgressão. Estando sob a orientação do marido no Éden, a mulher não lhe deu ouvidos, ultrapassando seu limite de comando. Ela foi direto à serpente para conversar com ela e, assim, acabou sendo iludida (Gn 3.4-5). É por essa razão que, quando Deus dá a sentença do castigo para o homem, para a mulher e para a serpente, ele diz à mulher que seu desejo seria para seu marido e que o marido haveria de dominar a mulher (Gn 3.16).

Do ponto de vista bíblico, o papel do homem e da mulher são diferentes. Estabelecidos na criação e agravados por causa da Queda. Embora Cristo nos redima, sendo o Redentor da condição humana, esses papéis não são abolidos no Novo Testamento. Somos redimidos, o homem e a mulher são salvos da mesma forma, pela graça, mediante a fé em Cristo Jesus, e recebem dons espirituais equivalentes. Contudo, o exercício do governo espiritual da igreja e do governo do lar foi destinado para o homem cristão.

Essas são as razões pelas quais as igrejas históricas, que levam a Bíblia muito a sério, entendem que, para seguir a Bíblia, não podemos deixar esse fardo sobre os ombros das nossas irmãs. Mas o governo das igrejas, a autoridade espiritual, tem que ser exercida pelo homem cristão qualificado.

OS DESIGREJADOS SÃO NOSSOS IRMÃOS EM CRISTO?

Lembro-me da época em que conversávamos sobre "católicos praticantes" e "católicos não praticantes". Naquela época, evangélicos eram somente praticantes, não havia essa divisão. Hoje em dia, a coisa mudou, e encontramos evangélicos "não praticantes", aqueles que não estão afiliados a uma igreja. O que ocorre é que alguns simplesmente abandonaram a igreja. Se dizem evangélicos porque vieram de famílias evangélicas, assim como muita gente se diz católica porque nasceu em lar católico. O evangelicalismo cresceu no Brasil e surgiram muitas pessoas que são evangélicas de berço, mas não frequentam igreja alguma — logo, não professam a fé evangélica.

Há, também, aqueles que mantêm a fé evangélica, que creem no que crê o evangélico, mas não querem a igreja, estão decepcionados com a igreja enquanto instituição. Não querem pertencer a nenhuma igreja, não fazem parte do rol de membros, não querem estar debaixo da disciplina eclesiástica.

E há, ainda, aqueles que, além de não frequentar a igreja, tomaram essa bandeira e passaram a defender abertamente o fracasso total da igreja organizada. Defendem a ideia de um cristianismo sem igreja e a concepção de que é preciso sair da igreja para encontrar Deus. Eles afirmam que o último lugar em que encontraremos Deus será em uma igreja.

Podemos verificar pessoas que se reúnem em casas, se encontram em lugares abertos, marcam ponto de encontro para conversar a respeito da fé, trocam experiências e ideias. O que não querem é pertencer a uma das denominações, como Assembleia de Deus, Presbiteriana, Metodista, Luterana ou Batista. Vamos focar nesse movimento dos desigrejados, que se refere às pessoas que não somente saíram da igreja, mas atacam o cristianismo institucional.

O argumento dessas pessoas é: "Cristo não deixou nenhuma igreja institucional organizada. Já nos primeiros séculos, os cristãos se afastaram dos ensinos de Jesus e se organizaram como instituição. Quem criou o modelo institucional atual de igreja foi Constantino. A filosofia grega influenciou a teologia e a oficialização do cristianismo. E, apesar da Reforma Protestante, que se levantou contra muita coisa errada que vinha acontecendo na igreja, os protestantes (evangélicos) acabaram caindo nos mesmos erros porque criaram denominações organizadas, sistemas interligados em hierarquias, processos de manutenção do sistema, disciplina, exclusão de dissidentes, confissões de fé, catecismos e coisas semelhantes. Com isso, acabaram engessando a Igreja de Cristo, impedindo até mesmo o pensamento teológico".

Portanto, os críticos da igreja institucionalizada dizem que a Igreja verdadeira não tem templo, culto regular no domingo, tesouraria, hierarquia, ofício, oferta, dízimo, credo oficial, confissão de fé, propriedades, escolas, seminários e assim por diante. Defendem que a Igreja de Cristo não tinha nada disso e que tudo não passa de invenção humana. Afinal, argumentam que Jesus afirmou que, onde houvesse dois ou três reunidos em seu nome, ali estaria a Igreja (Mt 18.20), portanto, todo esse aparato seria desnecessário. Basta que dois ou três amigos cristãos se reúnam para tomar café e falar de teologia. Nada mais é necessário para constituir Igreja.

Para os defensores dessa ideia, a igreja como instituição está falida. Ela caiu em muitos erros, pecados e escândalos, de tal forma que precisamos sair da igreja para poder encontrar a Deus. É isso que o movimento dos desigrejados prega e advoga hoje em dia.

Temos de admitir que há algo de verdadeiro nisso tudo. Infelizmente, no processo de organização e estruturação da Igreja, em alguns períodos e em alguns lugares líderes tornaram a estrutura um fim em si mesma. E muito do que se faz nessas igrejas é simplesmente para manter a estrutura. Essa realidade faz se perder de vista a razão de ser igreja. O problema dessa crítica, que, em boa parte, é verdadeira, é a generalização. O fato de a Igreja se organizar, ser uma instituição e ter todos esses mecanismos, por si só já imobilizaria, engessaria a igreja. Segundo essa linha de pensamento, a igreja torna-se autorreferida, e sua missão é apenas perpetuar-se.

A meu ver, o problema é outro. Biblicamente, Jesus disse aos discípulos que a Igreja dele seria edificada sobre a declaração de Pedro e que ele mesmo, Jesus, era o Cristo, o Filho do Deus vivo (Mt 16). A Igreja foi fundada sobre a verdade, sobre a pessoa de Jesus.

Dessa forma, não é igreja cristã a que se desvia da verdade da divindade e exclusividade da pessoa de Cristo. Não é de admirar que os apóstolos estivessem prontos para rejeitar os livres pensadores de sua época que queriam dar outra interpretação a essa questão. As primeiras igrejas foram instruídas pelos apóstolos a rejeitar os livres pensadores, como os gnósticos.

Elas deveriam ficar firmes na Palavra de Deus, na verdade de que Jesus é o Filho do Deus vivo.

É impossível nos mantermos firmes sobre a Rocha, Cristo, e sobre o que nos é ensinado nas Escrituras sem sermos Igreja. Sem sermos ensinados, corrigidos, admoestados, advertidos e confirmados na doutrina apostólica. Daí vem a necessidade de estar juntos, de ter a quem prestar contas, de estudar a respeito da doutrina, visando a continuar firmes na fé.

Assim, o fundamento da Igreja é que ela está edificada sobre a verdade a respeito de Cristo. Para que essa verdade seja mantida, precisamos estar juntos. Precisamos de mestres, de pastores que nos ajudem a permanecer nessa verdade e que ensinem as novas gerações. Também é no ambiente eclesiástico que é aplicado o processo disciplinar. Os discípulos de Jesus entenderam muito bem isso. Encontramos a estrutura disciplinar em diversos livros do Novo Testamento. Há dezenas de advertências às igrejas que eles organizaram para que afastassem e excluíssem os que não quisessem se arrepender de seus pecados e que não andassem de acordo com a verdade apostólica. Como seria possível exercer a disciplina numa fraternidade informal, livre, que se reúne para tomar café na sexta-feira à noite e discutir assuntos culturais, brincando de igreja?

A realidade é que os desigrejados que se reúnem informalmente apenas abriram mão de uma estrutura para colocar outra no lugar. Se você observar essas pessoas que se reúnem em casas, elas não querem se reunir em templos, mas têm liderança, hierarquia, um certo nível de organização, a ceia, o batismo e outros elementos de uma instituição.

Outro ponto: e se, no meio do grupo que está reunido em casas, aparecer alguém ensinando alguma doutrina diferente, quem determinará a posição doutrinária do grupo? Eles precisarão de uma confissão de fé, por mais simples que seja, ainda que não seja escrita. Eles precisarão seguir uma tradição religiosa com determinada declaração de fé. No fim, é apenas a troca de uma estrutura mais completa e antiga por uma mais nova e informal.

A estrutura pode ser usada para o bem. O problema é o desvirtuamento: quando essa estrutura acaba tornando-se um fim em si mesmo.

3

PECADO E SALVAÇÃO

É VERDADE QUE DEUS ODEIA O PECADO, MAS AMA O PECADOR?

Não raramente as pessoas afirmam que Deus odeia o pecado, mas ama o pecador. Esse assunto não é simples nem fácil, pois envolve ortodoxia bíblica em confronto com emoções humanas. A questão é que a visão que predomina na sociedade e no meio evangélico é a de um Deus amoroso, que ama a todos indistintamente, que quer o bem de todos.

Claro, não está errado dizer que Deus é amor, pois a Bíblia afirma essa realidade (1Jo 4.8). O problema é que a Bíblia não diz só isso, mas ressalta que o Senhor é justo (Sl 7.11), verdadeiro (Jo 14.6), santo (Is 6.3), fogo consumidor (Hb 12.29) e tão puro que não suporta ver o mal (Hc 1.13). A Escritura também ressalta que Deus haverá de trazer a juízo toda obra e haverá de tratar com cada um de acordo com seus atos (Ec 12.14). Desse modo, dizer que Deus é amor e parar aí está errado. Deus é amor, mas também é justiça, santidade, retidão. Esse é o primeiro ponto que devemos enfatizar.

Por isso, se alguém diz que Deus odeia o pecador, as pessoas que não têm compromisso com a ortodoxia bíblica ficam chocadas. Elas argumentam: "Espere! Mas o Deus da Bíblia é amor". Sim, é verdade. Mas ele não é *só* amor. Devemos lembrar que Deus tem outros atributos igualmente importantes. Não podemos definir Deus por meio de um único atributo. Mas por meio do conjunto harmônico de vários atributos é que entenderemos um pouco mais sobre a personalidade de um Deus santo, absoluto e perfeito.

Com isso em mente, seria bíblico dizer que Deus odeia o pecado mas ama o pecador? Eu creio que não seja. Devo admitir que existe um sentido genérico no amor de Deus, uma vez que a Palavra nos apresenta realidades como João 3.16 ("Porque Deus amou tanto o mundo que deu seu Filho único, para que todo o que nele crer não pereça, mas tenha a vida eterna").

A Bíblia fala de amor ao mundo, de amor à humanidade, do amor de Deus à sua criação, da preocupação do Senhor com os seres humanos em geral. Assim, não tenho dificuldade alguma em aceitar isso. Como Criador, Deus tem boa vontade e cuidado com toda a sua criação. Isso inclui pecadores, ímpios, ateus, pessoas que não estão minimamente preocupadas com o Senhor.

Porém, no sentido salvífico, quando pensamos no amor de Deus como um amor salvador, que redime e vem em resgate do pecador, temos de entender que esse amor é exclusivo do povo de Deus. E é aplicável individualmente àqueles que Deus chama, por meio de sua soberania, de sua graça e de sua vontade eletiva desde antes da fundação do mundo.

Portanto, num sentido geral, como Criador, Deus ama a todos igualmente, inclusive os pecadores. Mas ele certamente não salvará a todos. O amor salvador de Deus é estendido somente a alguns, àqueles que se arrependem e creem. Os demais não são contemplados pelo amor salvador de Deus e estão, portanto, debaixo de sua ira. Em outras palavras, estão debaixo de sua justiça (Rm 2.5-6; 5.9).

Quando nos referimos à ira ou ao ódio de Deus, devemos ser muito cautelosos para não confundi-los com as reações humanas, com a ira descontrolada do homem. A ira humana, condenada biblicamente, geralmente é egoísta, fruto de frustrações por que a raça humana passa. Quando a Bíblia fala do ódio ou da ira de Deus, é simplesmente uma maneira de se referir à reação da santidade e da justiça do Senhor à desobediência, ao desacato, à indiferença e ao desafio do homem. Por essa razão, a afirmação de que Deus odeia o pecado, mas ama o pecador, por mais que seja repetida, não é expressão da verdade.

Em termos bíblicos, é impossível separarmos o pecado do pecador, como se o pecado fosse algo independente e existisse à parte do agente humano. O pecador é quem comete pecados e o pecado só existe, como ação deliberada, na cabeça daquele que peca. Portanto, como poderíamos dizer que Deus odeia o pecado mas ama o pecador? As duas coisas se misturam. Não há como tratar uma sem tratar da outra.

Tiago diz que o pecado nasce no coração, usando a figura de um homem que é atraído por uma mulher, engravida-a, gera um filho — que é o pecado — e esse gerará sua morte: "A tentação vem de nossos próprios desejos, que nos seduzem e nos arrastam. Esses desejos dão à luz o pecado, e quando o pecado se desenvolve plenamente, gera a morte" (Tg 1.14-15). Tiago está dizendo que o pecado é o resultado de nossa concupiscência, quando nos atrai e nos seduz. Ele é gerado como um filho nosso, fruto da união entre a nossa vontade e a tentação. E, uma vez gerado, leva à morte. Como vamos, pois, separar o pecado do pecador? São gêmeos siameses, dois lados da mesma moeda. Não há como separar uma coisa da outra. Há muitas passagens na Bíblia que reforçam esse entendimento, como Salmos 11.5, Provérbios 6.16 e Romanos 9.11-18.

Todos são beneficiados pela bondade e pela misericórdia de Deus como Criador. Mas, como Salvador e Redentor, o amor de Deus é somente para o seu povo. Aos demais, Deus reserva a sua santa ira. Os que rejeitaram Cristo serão justamente punidos pela justiça de Deus, em razão de seus pecados.

QUEM DISSE QUE SOU PECADOR?

Muitas pessoas têm dificuldade de reconhecer que são pecadoras. Afinal, elas alegam ser honestas, pagar seus impostos, ser corretas em tudo, nunca ter roubado, não beber, não fumar e coisas do gênero. Para verificarmos se essas alegações estão corretas, precisamos falar sobre pecado.

Não tenho a menor dúvida de que a pessoa que disse tais coisas é uma tremenda pecadora. Assim como eu. Assim como você. Assim como toda a humanidade. Somos todos pecadores diante de Deus. A confusão que existe sobre o tema é a respeito de uma distinção criada pelo catolicismo romano entre "pecado mortal" e "pecado venial", que estabelece que alguns pecados seriam mais graves que outros. Por esse pensamento, alguns pecados poderiam ser facilmente perdoados, enquanto outros seriam de maior dificuldade e outros exigiriam, ainda, um tempo no purgatório para poderem ser justificados ou perdoados.

Na verdade, essa distinção não é bíblica. A Bíblia afirma que pecado é transgressão da lei de Deus. O mesmo Deus que ordenou que não adulterássemos é quem nos ordenou não mentir (Pv 19.5,9; Jo 8.44). Para muitos, adultério e assassinato são pecados mais graves que mentir, mas, biblicamente falando, todo pecado é igual — porque é transgressão da lei do mesmo Deus, que tem um padrão moral e adota referenciais para avaliar a conduta humana.

Pecado é a quebra desse referencial. Ele ocorre quando desobedecemos a Deus, fazendo aquilo que ele nos disse que não fizéssemos e deixando de fazer aquilo que ele nos disse que fizéssemos.

Portanto, pecado deve ser definido à luz de Deus, isto é, tendo o Senhor como referencial, o que o torna universal, generalizado. Todo ser humano é pecador. O que é pecado para Deus no Brasil também será na China, no Japão, na Indonésia e em qualquer parte do planeta. Isso ocorre porque Deus é Senhor de toda a raça humana. Não é uma questão cultural. O pecado é, de fato, a transgressão da lei absoluta, universal e santa de Deus.

Paradoxalmente, somos pecadores, sabemos que pecaremos até a morte, mas não devemos nos acostumar com isso. Muitos pensam: "Já que somos pecadores, então pequemos!". Lamentavelmente, a maioria das pessoas não leva o pecado a sério. Alguns zombam desses conceitos, especialmente nos dias de hoje, quando o relativismo entrou não só na sociedade brasileira, mas em toda a sociedade mundial — e na igreja evangélica.

O relativismo diz que a verdade é relativa. Não existiria, assim, um padrão moral comum a todos. Os relativistas defendem que o que é certo para mim pode não ser certo para você e, consequentemente, o que eu considero pecado você pode não considerar. Essa relativização da moralidade leva as pessoas a viverem do jeito que querem, e muitas passam a considerar os mandamentos de Deus como meros preceitos de uma religião antiquada. E há muitas religiões por aí. Assim, por que vou me guiar pelos Dez Mandamentos se posso me guiar pelo sistema ético de qualquer outro sistema de crença? Posso me guiar até mesmo por uma crença que eu próprio tenha criado. O relativismo tem levado nossa sociedade a uma pluralidade que a torna eclética em relação a comportamentos.

Hoje, vemos pessoas que abraçam estilos de vida que, aos olhos dos antigos, seriam inadmissíveis. A promiscuidade, a prostituição, a vida desregrada, a desonestidade e a falta de compromisso com a verdade se tornaram bastante comuns em nossos dias, exatamente porque as pessoas vêm relativizando o padrão de Deus.

Portanto, muitos hoje podem até se dizer pecadores, mas para eles isso não quer dizer nada. Porém, se olharmos de fato o que a Bíblia diz, veremos que "o salário do pecado é a morte" (Rm 6.23). Deus, no tempo certo, haverá de cobrar das pessoas as atitudes que elas tomaram com relação à sua lei. Assim, uma pessoa pode se sentir segura hoje, quebrando a lei de Deus, cometendo todo tipo de pecado, mas chegará o momento em que ela colherá as consequências de seus atos. Pois aquele que pecar é que morrerá (Ez 18.4).

O pecado gera consequências, e é exatamente por isso que precisamos de um Salvador, alguém que nos livre não só da culpa, mas também da presença do pecado: Jesus Cristo. É o sacrifício de Jesus na cruz do Calvário que, de fato, nos liberta, purifica e transforma.

SE SOU PECADOR, PRECISO DE SALVAÇÃO?

A salvação da qual fala o cristianismo é a salvação do castigo que os nossos pecados merecem: o sofrimento eterno no lugar que a Bíblia chama de inferno. Ser salvo de ir para esse lugar é o que há de mais importante em sua vida. Temos muitas necessidades, mas nenhuma se equivale à de ser salvo do tormento eterno. Estamos falando de uma eternidade de sofrimento; um sofrimento que nunca terá fim e que é descrito como excruciante, agonizante.

Portanto, quando os cristãos se referem à salvação, estão aludindo a ficar livres da penalidade eterna que os nossos pecados merecem. Salvação, do ponto de vista das boas-novas de Cristo, é o ato pelo qual Deus nos salva desse castigo, que merecemos em razão dos nossos atos e por causa dos nossos pecados. Quanto a isso, há algumas questões importantes, que precisam ser mencionadas.

Algumas pessoas dizem que não precisam ser salvas. Essa é a maior prova de que precisam! Pois, com isso, mostram que não estão conseguindo enxergar o problema. Isso ocorre exatamente por causa do pecado, que tem essa capacidade de cegar os indivíduos. As pessoas não conseguem fazer uma avaliação correta de sua situação de vida diante de Deus e creem que está tudo bem com elas. Antes, consideram que está tudo sob controle.

Há um provérbio que diz: "Há caminhos que a pessoa considera corretos, mas acabam levando à estrada da morte" (Pv 16.25). O indivíduo está vivendo a sua vida tranquilamente, ganhando seu pão a cada dia, se divertindo e não se dá conta do abismo que se aproxima. Ele não está pensando no futuro que lhe é reservado. Quando é obrigado a refletir sobre isso, se compara pela média das pessoas e chega à conclusão de que ele não é tão ruim assim, que pratica o bem de alguma forma, que é trabalhador e assim por diante.

Mas a verdade é que a Bíblia nos diz que todos pecaram e não alcançam o padrão da glória de Deus (Rm 3.23). Diz também que o salário do pecado é a morte (Rm 6.23), que a pessoa sempre colherá aquilo que semear (Gl 6.7), que aquele que pecar é que morrerá (Ez 18.4) e que cada pessoa está destinada a morrer uma só vez, e depois disso vem o julgamento (Hb 9.27). Jesus contou várias histórias para revelar o que acontece depois da morte. Um exemplo famoso é a história do rico e Lázaro (Lc 16.19-31). Ambos são retratados após a morte: o rico por causa de suas iniquidades, sofrendo no inferno; e Lázaro na presença de Deus.

A verdade é que todos precisamos de salvação. Todos. Mesmo aqueles que não estão preocupados com isso e nem se importam. Eu usei a palavra "precisamos" intencionalmente, porque não há nada que possamos fazer por nós mesmos para que consigamos ser salvos. Qual é o problema? Nós, voluntariamente, desobedecemos a Deus. Mentimos, adulteramos, roubamos, caluniamos o próximo, desrespeitamos o próximo. Somos odiosos odiando outros odiosos. E há um Deus que tudo vê e sabe, especialmente o que se passa em nosso coração. E, para ele, esses pecados são inaceitáveis.

Deus, por ser justo, tem de punir o pecado. E não há nada que eu possa oferecer a Deus como pagamento pelo meu pecado a não ser a minha alma. Assim, se ele me obrigar a pagar pela culpa que tenho diante dele por causa dos meus pecados, o resultado é que minha alma terá de sofrer eternamente no inferno num sofrimento sem fim. Isso ocorre porque meus pecados foram ofensas a um Deus eterno, logo, o castigo também será eterno.

Portanto, nós não temos como fazer absolutamente nada para pagar nossos pecados. Há quem pense que se fizer boas obras compensará os pecados que cometeu. Mas a verdade é que boas obras não pagam pecados. Não há nada que compense, que abata minha dívida com Deus. Cabe somente a Deus salvar o pecador.

A Escritura é muito clara. Depois da morte, o que nos aguarda é a felicidade eterna na presença de Deus ou o sofrimento eterno longe dele. E essas duas realidades serão determinadas neste mundo, não tanto pelas nossas obras, mas por conta da nossa reação à oferta de salvação por parte de Deus. A Bíblia diz que Deus amou o mundo de tal maneira que deu seu Filho unigênito, que é Jesus Cristo, de tal maneira que todo aquele que nele crê não pereça, não sofra, mas tenha a vida eterna, sendo salvo dessa condenação (Jo 3.16).

Se eu crer em Jesus Cristo e o receber como Senhor e Salvador, Deus me perdoa gratuitamente da culpa dos meus pecados. Logo, sou salvo do castigo que vem pela frente, porque Cristo tomou o castigo em meu lugar. Mas, se eu recuso essa oferta de Deus, o que me resta? Para onde eu vou? Quem tem as palavras de vida eterna? Restará apenas viver esta vida enquanto restarem dias e depois encarar o sofrimento eterno.

Portanto, salvação é uma dádiva oferecida aos homens, pela qual Deus nos convida a nos arrependermos de nossos pecados e a crer em seu Filho, Jesus Cristo, como Senhor e Salvador. E a Bíblia nos diz com muita clareza que quem crer em Jesus não entrará em condenação (Rm 8.1), mas já passou da morte para a vida (1Jo 3.14). Salvação é isso. E todos precisamos dela.

PODEMOS TER CERTEZA DA SALVAÇÃO?

A Bíblia nos informa que o mesmo Deus que é justo juiz é também salvador. Ele é misericordioso, bom e, por causa de seu grande amor por nós, enviou seu Filho, Jesus, como pagamento pela nossa culpa. Paulo diz que Jesus foi feito maldição em nosso lugar (Gl 3.13). Isso significa que Deus Pai despejou em Cristo, seu Filho, a ira, o castigo, que nós deveríamos receber. Portanto, a salvação, do começo ao fim, é uma obra de Deus. Foi Deus quem planejou e executou, e é Deus quem a concede e aplica. O que nos resta fazer é arrepender-nos de nossos pecados, crer em Jesus Cristo como único e suficiente Salvador mediante a eficácia de seu sangue, e, pela fé, humilde e gratuitamente receber o perdão que Deus nos dá.

Ora, se Deus nos oferece gratuitamente o perdão e se eu humildemente o recebo, não há arrogância alguma em dizer para outras pessoas: "Eu fui perdoado por Deus. Eu não mereço, pois sou digno da condenação, do castigo eterno, mas, por causa do que Cristo fez, Deus me perdoou e me deu a salvação. Por isso, eu sei que, depois da morte, estarei ao lado de Deus na vida eterna, no Paraíso, no céu. Não porque eu mereça, mas por causa da misericórdia e da graça de Deus.

Se a pessoa afirma que é salva com base no sacrifício de Cristo e na graça de Deus, isso não constitui arrogância alguma. Aliás há um texto que eu gostaria de citar: "E este é o testemunho: Deus nos deu vida eterna, e essa vida está em seu Filho. Quem tem o Filho tem a vida; quem não tem o Filho de Deus não tem a vida. Escrevi estas coisas a vocês que creem no nome do Filho de Deus para que saibam que têm a vida eterna" (1Jo 5.11-13). Fica claro que a própria Bíblia nos encoraja a ter certeza de que temos a vida eterna. Isso porque Deus nos deu essa vida pelo Senhor Jesus Cristo.

Essa percepção tem um desdobramento. Se podemos dizer que fomos salvos pelo favor imerecido de Deus, não perderemos a salvação. Se nossa confiança de fato está em Jesus Cristo, podemos afirmar isso com segurança. Afinal, se a salvação é uma dádiva de Deus, um presente do Pai em Cristo Jesus, é Deus quem nos salva mediante seu Filho na cruz e não somos nós que conseguiremos desfazer o que Deus fez. Não somos nós que atropelaremos os planos e propósitos divinos.

Não estou dizendo com isso que uma pessoa perdoada e salva pela graça mediante a fé em Jesus Cristo não acabe por tropeçar no pecado. Infelizmente, isso acontece. Cristãos verdadeiros, que receberam a graça de Deus e, por essa razão, foram perdoados, podem cair em tentação. Mas, se ele é crente verdadeiro, saberá que fez algo errado e sentirá profundamente essa dor na consciência. Ele terminará arrependido, suplicará perdão a Deus e se levantará com a divina graça, dizendo: "Senhor Deus, não permita que eu faça isso outra vez".

Quando um crente verdadeiro tropeça em pecados pelo caminho, ele não perde a salvação, porque se trata de um estado irreversível e gratuito concedido por Deus, com base na obra completa de Cristo. E quem é salvo não quererá viver pecando. Essa pessoa aborrecerá o pecado e fará tudo o que estiver ao seu alcance, com a graça de Deus, para viver uma vida reta diante de seu Salvador.

Em 1João, o apóstolo faz menção às pessoas que saíram do meio cristão: "Eles saíram de nosso meio, mas, na verdade, nunca foram dos nossos; do contrário, teriam permanecido conosco. Quando saíram, mostraram que não eram dos nossos" (1Jo 2.19). Com base nessa afirmação, eu diria que muitos dos que abandonam a fé cristã evangélica, deixando de crer, embora tenham vivido um tempo na igreja, nunca foram de fato convertidos e não tiveram uma experiência real de salvação.

Há muitos motivos pelos quais uma pessoa vai para uma igreja evangélica hoje. A namorada vai, o marido vai, os filhos vão, ela foi criada na igreja... Mas quantos efetivamente passaram por uma experiência de conversão, salvação, perdão? Desse modo, com o tempo, as pessoas que não tiveram essa experiência real com Deus terminam por abandonar a fé e a Igreja.

Pode acontecer, contudo, de um cristão verdadeiro, que porventura tenha se magoado, se aborrecido por algum motivo com a igreja enquanto instituição, acabar por afastar-se. Mas ele certamente sentirá falta. Sentirá saudade de estar em sua congregação, louvando e adorando a Deus em meio aos irmãos. A nossa expectativa é que ele volte. Será muito bem-vindo.

QUEM SÃO OS ILUMINADOS QUE SE PERDERAM?

A Bíblia nos apresenta uma passagem enigmática, que parece contradizer a doutrina da eleição incondicional. É um dos trechos das Escrituras de mais difícil entendimento, pois parece sugerir que os indivíduos que uma vez tiveram um encontro com o Senhor Jesus e caíram não voltam mais para Deus. Será que, de fato, o texto está ensinando a perda da salvação? Vejamos:

> Pois é impossível trazer de volta ao arrependimento aqueles que já foram iluminados, que já experimentaram as dádivas celestiais e se tornaram participantes do Espírito Santo, que provaram a bondade da palavra de Deus e os poderes do mundo por vir, e que depois se desviaram. Sim, é impossível trazê-los de volta ao arrependimento, pois, ao rejeitar o Filho de Deus, eles voltaram a pregá-lo na cruz, expondo-o à vergonha pública. Quando a terra absorve a chuva que cai e produz uma boa colheita para o lavrador, recebe a bênção de Deus. Mas, se a terra produz espinhos e ervas daninhas, para nada serve, sendo logo amaldiçoada e, por fim, queimada.
>
> Hebreus 6.4-8

Para compreendermos essa passagem, devemos entender que ela trata daquilo que a teologia chama de "distanciamento". A Bíblia foi escrita muitos séculos atrás e seus autores estão mortos. Não podemos perguntar a Paulo, Pedro ou João o que eles quiseram dizer com determinada passagem. Igualmente, não é possível saber diretamente do autor de Hebreus o que ele tinha em mente ao escrever esse texto.

Muitas vezes, o que encontramos são problemas de tradução. O Novo Testamento foi escrito em grego arcaico, uma língua que não se fala mais hoje. Por essa razão, sempre há novas descobertas em relação à gramática da língua, ao vocabulário, à sintaxe e a outros aspectos do idioma, que podem influenciar no entendimento do texto.

Essa passagem é uma daquelas que precisamos analisar humildemente e reconhecer que não temos para ela, ainda, uma resposta definitiva. Quem são as pessoas mencionadas nesse texto, que não podem ser trazidas de volta? As respostas que temos são limitadas. Alguns defendem que se tratam dos crentes verdadeiros, pessoas que de fato tiveram experiências com Deus, foram iluminadas pelos Espírito Santo, provaram da salvação, tiveram comunhão com Deus, foram aceitas por ele como filhos e pecaram tantas vezes e de tal forma que caíram desse estado de salvação. Estariam, assim, condenadas e, uma vez que perderam a salvação, não podem mais ser salvas, sendo impossível renová-las para o arrependimento.

A dificuldade com essa posição é a questão da perda da salvação. Dá-nos a ideia de que a salvação depende do homem, enquanto a Bíblia toda afirma que a salvação é pela graça de Deus. É um dom divino, um presente, assegurado por ele. Se, nessa passagem estamos diante da descrição de um crente em Jesus, então temos dois problemas:

1. A salvação é algo que depende do homem. Se eu posso perdê-la, se eu posso pecar tanto que venha a perder a salvação, por que também não admitir que eu posso fazer o bem a tal ponto que eu possa merecê-la?
2. Essa interpretação coloca os que assim acreditam numa situação sem solução. Afinal, o sujeito é convertido, foi iluminado pelo Espírito Santo e salvo, mas pecou a tal ponto que perdeu a salvação, sem possibilidade de retorno ao *status* anterior. Quer dizer, a pessoa só tem direito a perder a salvação uma vez. E não é isso que os cristãos que creem que a salvação pode ser perdida creem. Eles parecem acreditar que uma pessoa um dia pode estar salva, no outro dia estar perdida e no terceiro dia voltar a estar salva mediante arrependimento. Mas não é isso que o texto está dizendo. A perda é uma só, sem retorno.

Uma segunda possível explicação é que o autor de Hebreus não estaria se referindo a um crente verdadeiro, mas a membros das comunidades cristãs que, embora fossem simpatizantes do evangelho de Cristo, não tiveram uma real experiência de conversão. Creio que essa interpretação é a melhor. O que ele está descrevendo ali, ao dizer que tais pessoas foram iluminadas e experimentaram as dádivas celestiais, é a vivência que os membros das comunidades cristãs têm. Por exemplo, elas participam da ceia, ouvem a pregação da Palavra de Deus, experimentam emoções na hora do louvor, até têm mudanças em hábitos e valores. Assim, o religioso, o que frequenta a igreja, mesmo que não seja convertido, tem experiências religiosas. Creio que seja isso o que está sendo descrito nessa passagem de Hebreus.

Eu acredito que essa última interpretação é, de fato, a melhor de todas. Outro fator que nos leva a crer nela é nos lembrarmos da razão pela qual essa carta foi escrita. Hebreus foi redigida tendo como destinatários judeus que tinham professado a sua fé em Cristo Jesus, mas que estavam sendo perseguidos pelos seus compatriotas judeus e, por isso, tentados a negar Jesus. Para que um judeu que tivesse aceitado Jesus pudesse voltar ao judaísmo, teria de dizer: "Jesus é maldito". Tal pessoa tinha de negar Jesus como o Filho de Deus que nos salvou. Isso é o que chamamos de apostasia, o que não é um pecado qualquer.

A carta aos Hebreus foi escrita contra o pecado da apostasia. Uma vez que a pessoa apostatava, não havia mais retorno. O próprio autor diz que nós estaríamos crucificando novamente a Cristo. É como se Jesus tivesse de morrer novamente. Em outras palavras, o que o texto diz é que a morte de Cristo abriu a possibilidade única de nos arrependermos, crermos e permanecermos em Cristo. Se viramos as costas para isso, tendo consciência plena de tudo o que está envolvido, já não resta mais propiciação pelos pecados. Cristo teria de morrer de novo, expondo-se novamente à vergonha e à ignomínia.

Portanto, o texto não entra na questão de a pessoa ser salva ou não. Ele está se referindo a pessoas que professaram o nome de Jesus, assumindo publicamente essa posição em favor dele e depois, voluntária e conscientemente, viraram as costas, negando a Cristo, sua divindade e sua obra em nosso favor. Tais indivíduos cometeram pecado de apostasia, que é a mesma coisa que blasfêmia contra o Espírito Santo. Para isso não há perdão, pois tais transgressores passaram a pregar exatamente o que pregavam antes.

Pode ser que, infelizmente, um crente verdadeiro tropece, conte uma mentira, cometa um ato de adultério, fraqueje em sua honestidade. Mas, se ele é crente verdadeiro, tal pessoa será levada ao arrependimento. O Espírito Santo o trará de volta. Portanto, alguém nessa situação não se enquadra nessa passagem de Hebreus.

HÁ DIFERENÇA ENTRE ARREPENDIMENTO E REMORSO?

Todas as nossas boas obras são imperfeitas, mesmo depois de convertidos a Cristo. A nossa fé é imperfeita, bem como a nossa disposição de servir a Deus — tanto que todos experimentamos altos e baixos. Até mesmo nosso arrependimento é imperfeito. Isso significa que, embora nos arrependamos e reconheçamos nossas faltas e nossos pecados, estejamos dispostos a assumir as consequências deles, não temos garantia de que não voltaremos a cometê-los.

A nossa santificação, da qual faz parte o arrependimento, a fé e outras virtudes, é imperfeita, inacabada e incompleta neste mundo. Apesar do desejo de servir a Deus fiel e completamente, a presença do pecado no coração mancha e tinge todas as nossas boas obras e todos os exercícios espirituais. Assim, as nossas orações são maculadas pelo pecado e as nossas melhores intenções são igualmente fragilizadas e enfraquecidas pelo pecado que habita em nós.

Infelizmente, mesmo que o crente se arrependa de seus pecados, sempre haverá a possibilidade de que ele volte a cair naquele mesmo pecado. Mas, se essa queda é uma constante, se virou rotina, chegou o momento de perguntar se esse arrependimento é verdadeiro e se a pessoa é, de fato, convertida. Aqui entramos na diferença entre arrependimento e remorso, conceitos que são muito confundidos.

O remorso é uma tristeza geral pelo pecado cometido, geralmente centrada na pessoa. A pessoa sente remorso porque falhou em algo frente às grandes expectativas de si própria e enfrentou consequências danosas em sua vida, enquanto o arrependimento verdadeiro tem o foco em Deus. A pessoa sabe que pecou contra Deus e quer agradá-lo. Quer largar o mal e seguir ao Senhor, estando disposta a assumir quaisquer que sejam as consequências do seu pecado e viver de maneira que agrade ao Senhor. Tal pessoa lutará por isso.

As quatro primeiras teses das 95 que Martinho Lutero afixou à porta da igreja do castelo de Wittenberg tratam exatamente disso. A diferença é que ele as chama de penitência. Lutero as escreveu em reação ao tipo de arrependimento praticado pelos católicos romanos na Idade Média, que consistia em o fiel ir ao confessionário para descrever seus pecados, dizer que estava arrependido e receber penitências, como rezar um determinado número de vezes certa oração, ou praticar peregrinações e coisas dessa natureza.

Lutero começa as 95 teses dizendo que as penitências seriam um estado e não um ato. O cristão deve viver num estado permanente de penitência, ou seja, viver num estado de arrependimento e quebrantamento constante diante de Deus. Quando uma pessoa vive dessa forma e peca, imediatamente a consternação e a tristeza encherão o seu coração e ela fará todo o possível para mudar de atitude, visando a reparar as consequências de seu erro, em vez de esperar para ir a um confessionário ou falar com o seu líder religioso.

Na teologia católica romana, o sacerdote tem poder para absolver, isto é, perdoar os pecados da pessoa confessante. Naturalmente, sabemos que isso não pode acontecer. Em meio aos evangélicos, o pastor não é visto como alguém que perdoa pecados, muito embora haja pastores com unções disso e daquilo outro, que "determina", "quebra", "anula pactos e maldições" e coisas dessa lavra. Essa é uma versão evangélica, notadamente neopentecostal, que se assemelha ao que ocorre no confessionário católico.

Para ilustrar a diferença entre arrependimento e remorso, cito os casos de Pedro e Judas. Judas Iscariotes traiu Jesus e, com remorso, pegou as moedas que recebera pela traição e as jogou no templo. Em seguida, foi se enforcar (Mt 27.5). Já Pedro negou Jesus três vezes. O texto bíblico diz que, no momento em que Jesus olhou para ele, ao canto do galo, Pedro chorou amargamente (Lc 22.55-62). A diferença é que Pedro não foi se enforcar, ele ficou com Jesus. Eis aqui a diferença entre remorso e arrependimento.

O remorso é uma dor de consciência segundo o mundo. Não produz mudança, nem fé verdadeira. O arrependimento que salva seguido pela fé em Deus, mediante a busca pelo Criador para perdão e reconciliação. O que é exatamente o que Judas não fez. A tristeza segundo Deus é o verdadeiro arrependimento.

A pessoa que está arrependida não se enforcará, mas buscará a Deus em súplica por perdão. Ela o buscará e se jogará nas misericórdias de Deus, pela fé, suplicando a purificação pelo sangue de Jesus em total disposição de fazer o que precisa ser feito. Por isso dizemos que o arrependimento verdadeiro é seguido por uma tristeza profunda pelo pecado cometido, uma disposição para mudar e a atitude de assumir as consequências de seus atos.

Sabemos se o arrependimento é verdadeiro ou não se a pessoa se declara arrependida, mostrando-se disposta a assumir as consequências de seus atos, quaisquer que sejam eles. Já encontrei pessoas que me disseram estar arrependidas de ter praticado um roubo, ao que eu disse que deveriam ir atrás de suas vítimas. Diante disso, ouvi que isso não precisaria ser feito, não era bem assim. Em outra situação, eu disse a uma pessoa: "Vá até fulano de tal e peça perdão por ter falado mal dela". Ao que ela retrucou: "Não, pastor, isso não precisa ser feito assim".

Desconfio de arrependimentos que contenham a palavra "mas" na frase, como em: "Eu de fato pequei, estou arrependido, *mas* a culpa foi de fulano". Quando há a palavra *mas* na frase, já começo a desconfiar do arrependimento da pessoa. Essa história começou lá no Éden, quando Adão jogou a culpa por seu pecado em cima de Eva (Gn 3.12).

Infelizmente, mesmo nosso arrependimento mais sincero é manchado por nossa natureza pecaminosa. Mas, sendo verdadeiro, trará consigo a busca do perdão de Deus, a disposição de mudança, o reconhecimento e a concordância em assumir as consequências. Esse é o tipo de arrependimento que traz perdão e reconciliação com Deus e com o próximo.

É isso que devemos de fato ter: uma vida de permanente arrependimento pelos pecados cometidos. Pela graça de Deus, podemos ouvir que estamos perdoados e tudo o que precisamos fazer é prosseguir e não voltar a cometer o mesmo pecado.

QUAIS SÃO AS EVIDÊNCIAS DA CONVERSÃO VERDADEIRA?

Ir aos cultos, cantar no grupo de música ou no coral, ser líder em uma frente de trabalho na igreja, ter um cargo, ser pastor, ser batizado... tudo isso parece identificar a pessoa como um verdadeiro crente. Mas evidências externas não são suficientes para identificar uma verdadeira conversão, um assunto que acompanha a fé cristã desde a sua origem.

Sempre houve quem entrasse nas igrejas cristãs, ouvisse as mensagens pregadas pelos discípulos de Cristo e aparentasse aceitar as boas-novas e os requerimentos da fé cristã, mas, depois de um tempo, saísse. Outras, que ficaram, acabaram provocando muitos problemas. Esse fato acabou por levantar a questão de quais evidências, de fato, distinguiriam um verdadeiro cristão.

A Bíblia fala do novo nascimento, mudança que Deus faz em nossa natureza, mediante a fé em Jesus, pela qual Deus implanta em nós um novo princípio. Não é que não sejamos mais pecadores. Continuamos pecadores, com as inclinações de nossa velha natureza dentro de nós. Mas, agora, por meio do arrependimento e da fé, há a regeneração pela qual é implantado em nós o desejo por um novo princípio de vida — vida que procede de Deus. Enquanto nossa vida carnal puxa para o pecado, o Espírito de Deus que habita em nós e que nos transmite esse novo princípio de vida nos guia a fazer o que é correto, seguindo as coisas de Deus. Essa luta foi bem descrita por Paulo em Gálatas 5, quando ele trata das obras da carne e do fruto do Espírito Santo.

O verdadeiro cristão passou por uma mudança interior. Às vezes esse processo é lento e o cristão não é capaz de dizer exatamente quando começou. Outras vezes, é algo imediato, pontual, e o cristão identifica claramente quando se processou essa mudança repentina e súbita em sua vida.

Como não sabemos o que se passou no coração de cada pessoa, como identificaríamos aquele que passou por um processo real de conversão, tendo sua natureza alterada? O apóstolo João enfrentou essa questão em sua primeira carta, ao expor alguns testes que apresentariam o verdadeiro cristão, resumidos em três pontos: evidência moral, evidência social e evidência doutrinária.

Falemos primeiro da evidência moral, demonstrada em várias passagens da epístola. Menciono apenas uma:

> Filhinhos, não deixem que ninguém os engane a este respeito: quando uma pessoa faz o que é justo, mostra que é justa, como ele é justo. Mas, quando continua a pecar, mostra que pertence ao diabo, pois o diabo peca desde o início. Por isso o Filho de Deus veio, para destruir as obras do diabo. Aquele que é nascido de Deus não vive no pecado, pois a vida de Deus está nele. Logo, não pode continuar a pecar, pois é nascido de Deus. Assim, podemos identificar quem é filho de Deus e quem é filho do diabo. Quem não pratica a justiça e não ama seus irmãos não pertence a Deus.
>
> 1João 3.7-10

João ressalta que aquele que é nascido de novo por Deus não vive na prática do pecado, porque o que permanece nele é a divina semente. Ele não pode, pois, viver pecando porque nasceu de novo. Da mesma forma que Deus não peca porque é santo, sua vida em nós nos levará a não viver mais na rotineira prática do pecado. A velha natureza ainda está em nós, e portanto inevitavelmente acabaremos pecando, mas isso não definirá a nossa vida.

Se uma pessoa vive na prática do pecado, certamente alguma coisa está errada. Alguém convertido não pode viver pecando. Isso não quer dizer que tal pessoa será perfeita. O pecado fará parte de sua vida, mas será apenas um acidente e não a sua marca. O que caracteriza a jornada do crente não é a vida de pecado, mas uma vida de vitória sobre o pecado.

Quando o pecado acontece em sua vida, o cristão autêntico se arrepende, confessa seus pecados, lamenta seus erros e os conserta, retomando a caminhada diante de Deus. Está escrito em Salmos: "Ainda que o justo tropece sete vezes, voltará a se levantar..." (Sl 24.16). Isto é, ele não permanecerá no pecado.

O segundo teste que o apóstolo João nos apresenta em sua primeira carta busca detectar a evidência social. Diz o texto:

> Se amamos nossos irmãos, significa que passamos da morte para a vida. Mas quem não ama continua morto. Quem odeia seu irmão já é assassino. E vocês sabem que nenhum assassino tem dentro de si a vida eterna. Sabemos o que é o amor porque Jesus deu sua vida por nós. Portanto, também devemos dar nossa vida por nossos irmãos.
>
> 1João 14-16

Esta é a segunda prova da verdadeira conversão, apresentada por João: o amor pelos irmãos. A coisa é tão séria que ele afirma que o fato de amarmos nossos irmãos nos leva a saber que nascemos de novo, que somos convertidos, perdoados e aceitos por Deus, recebendo a promessa da vida eterna. Esse amor aos irmãos não é um sentimento de felicidade, de bem--estar perto de quem é crente. O apóstolo João coloca como paradigma o amor de Cristo, que deu a sua vida por nós. Portanto, devemos dar a vida por nossos irmãos.

Consequentemente, o amor que apresenta a verdadeira conversão é o sacrifício que a pessoa faz em favor de outros. Significa ajudar irmãos necessitados, prover aquilo de que necessitam os desvalidos, acolher os que precisam de ajuda. Enfim, trata-se de dar demonstrações práticas do amor na rotina diária. É o amor que se preocupa, que cuida. Não é o amor de corinhos e canções, que cantamos na igreja, mas o amor prático que vivenciamos no dia a dia. É o amor de alguém que nega a si mesmo para ajudar o próximo.

Por fim, há um terceiro teste, que procura na pessoa a evidência doutrinária, baseado em outra passagem da primeira carta de João: "Pois todo aquele que é nascido de Deus vence este mundo, e obtemos essa vitória pela fé. Quem vence a batalha contra o mundo? Somente quem crê que Jesus é o Filho de Deus" (1Jo 5.4-5).

Quem é a pessoa que vence o mundo? Aquela que crê que Jesus Cristo é o filho de Deus. Eis, pois, a terceira evidência. Uma pessoa é de fato convertida porque ela, sinceramente e de todo o coração, professa Jesus Cristo como o Filho de Deus, aquele que veio ao mundo para morrer por nossos pecados, que ressuscitou ao terceiro dia, que subiu aos céus, que é Senhor e que voltará.

Essas três provas, ou evidências, se combinam e se fundem na vida prática do convertido.

QUAL DEVE SER A RELAÇÃO ENTRE FÉ E BOAS OBRAS?

A salvação ocorre pela graça de Deus, mediante a fé do salvo, e não pelas obras. Em torno dessa afirmação verdadeira um grupo de pessoas defende que o crente não precisa fazer nenhum tipo de boa obra ou ação social; alegam que essa é uma atitude de pessoas que querem comprar o favor de Deus. Em contrapartida, Tiago afirma que a fé sem obras é morta. Esse aparente paradoxo nos leva a refletir sobre o que a Bíblia diz acerca dessa questão.

A fé verdadeira é a confiança inabalável naquilo que Deus nos promete em sua Palavra. Palavra essa evidenciada, confirmada e comprovada ao longo dos séculos como a verdade. É importante lembrar que a fé que nós chamamos de verdadeira, salvadora, não é só um sentimento. Ela se define por aquilo em que se acredita. Porque uma pessoa pode perfeitamente ter fé numa mentira. O que vai mudar de fato a relação de uma pessoa com Deus não é o fato de essa pessoa ter fé, mas o fato de ela ter fé na verdade.

Fé, desse modo, se define com relação ao seu objeto. Ou seja, é preciso ter plena confiança no que é a verdade e não simplesmente confiar naquele sentimento. Essa fé verdadeira não pode ser produzida pelas pessoas. Aqui temos um ponto extremamente importante. Somos de tal maneira pecadores, cegos e incrédulos que a fé em Deus e em Jesus Cristo necessariamente precisa ser fruto da operação divina em nosso coração (Lc 17.5). Porque, se Deus não nos abrir os olhos, nos atrair e mudar nosso coração, creremos na mentira, misturaremos verdade com erro, andaremos cegos neste mundo, iludidos. Se Deus não vier ao nosso encontro, não nos abrir o coração e falar conosco, morreremos enganados e cegos. Fé é a confiança inabalável na revelação de Deus, na verdade eterna que está nas Escrituras Sagradas.

E essa fé necessariamente leva o salvo a praticar boas obras. Quais? Aquelas que Deus determina em sua Palavra. Obra é tudo aquilo que fazemos em obediência a Deus. Uma pessoa bem-intencionada pode tomar certas atitudes e desempenhar determinadas atividades, mas, se elas não estiverem previstas, orientadas e escritas por Deus em sua Palavra, não poderão ser consideradas como "boas obras". Bom é tudo aquilo que Deus diz que é bom, e não nosso pensamento, nossa intuição ou um sentimento religioso.

Há uma série de passagens na Bíblia que deixam claro o fato de que as boas obras — isto é, as ações decorrentes de nossa obediência a Deus — não são o caminho para nos beneficiar diante do Senhor ou para sermos aceitos por ele. Isso fica claro em especial nos escritos do apóstolo Paulo, como Gálatas, Romanos e Efésios. O apóstolo diz o tempo todo que a salvação e o perdão de pecados são decorrentes não das boas obras, dos nossos atos de obediência ao Senhor, mas da graça de Deus, de seu favor. A salvação é um presente e não pode ser comprada pelo que fazemos. Não é algo merecido.

A salvação é um dom de Deus, um presente, uma dádiva: "Vocês são salvos pela graça, por meio da fé. Isso não vem de vocês; é uma dádiva de Deus. Não é uma recompensa pela prática de boas obras, para que ninguém venha a se orgulhar" (Ef 2.8). Paulo está dizendo com total clareza que a salvação não pode vir das obras que pratiquemos, para que ninguém se orgulhe, isto é, procure obter glória pessoal para si. A prática das boas obras gera mérito e o mérito gera glória. Ou seja, se a salvação é por causa do que eu faço, quando eu chegar ao céu poderei bater no peito e dizer: "Cheguei aqui porque mereci. Tenho crédito diante de Deus". Mas Deus não divide sua glória com ninguém.

Com isso, já podemos entender quão errado é o pensamento de que a prática da caridade, de dar esmolas aos pobres, de prestar assistência aos desvalidos, de oferecer socorro aos necessitados, de ter uma vida dedicada aos carentes — como no caso de Madre Teresa de Calcutá, Gandhi ou Martin Luther King — levará quem as pratica diretamente para o céu. Não nego a contribuição fantástica que essas pessoas fizeram à humanidade. Mas, diante de Deus, elas não receberão nenhum favor ou distinção por conta da atividade social humanitária que exerceram. Por melhor e mais dedicadas que tenham sido, não foram capazes de alcançar o nível que fará Deus olhar para elas e dizer que foram boas o suficiente para entrar no céu. A Bíblia diz que todos pecaram e, por essa razão, não alcançam o padrão da glória de Deus (Rm 3.23). E isso inclui todos os grandes nomes das boas obras e da filantropia mundial. Nossos atos de justiça são trapos imundos diante de Deus (Is 64.6).

Porém, o fato de a salvação não ser obtida por boas obras de forma alguma anula a necessidade de praticá-las. A Bíblia orienta que nos dediquemos à prática das boas obras. Devemos cuidar dos pobres, atender ao desvalido, amar o próximo como a nós mesmos, assistir o órfão e a viúva, cuidar dos necessitados, amparar os idosos, zelar pelas crianças. Mas a motivação que nos é apresentada para que façamos as boas obras não é merecer o favor de Deus; é, isto sim, a gratidão e o reconhecimento pelo que Deus fez por mim. Em outras palavras, farei boas obras não para merecer a salvação, mas porque Deus já me concedeu a salvação.

Sou tão agradecido por essa dádiva inominável, por Deus ter enviado seu Filho unigênito para morrer em meu lugar, por ter me perdoado gratuitamente, que direi ao Senhor: "Pai, dedicarei a minha vida a te agradar, fazendo a tua vontade". E qual é a sua santa vontade? Que eu cuide do meu próximo, que atenda ao pobre e ao necessitado e todas as demais obras de amor.

O reformador Martinho Lutero disse certa vez que a lei de Deus serve para nos levar a Cristo, para a salvação e Cristo, por sua vez, nos manda de volta à lei, para a santificação. O que Lutero quis dizer é que a lei, resumida nos Dez Mandamentos, me leva a Cristo para que eu seja salvo por ele. Isso porque, quando a lei diz "faça isso" e "não faça aquilo", eu olho para mim e vejo quão perdido estou!

A realidade é que não consigo obedecer a Deus como deveria. Quem, então, me salvará da perdição eterna? Cristo. É ele quem se apresenta como meu Salvador. Daí a lei me empurrar para Cristo, a fim de que eu seja salvo por ele. E, uma vez salvo, digo ao meu Salvador: "Senhor, tu me salvaste e perdoaste meus pecados, que desejas que eu faça?". A resposta de Cristo é: "Você deve fazer o que a lei manda: amará a seu próximo, respeitará as autoridades, respeitará a mulher de seu próximo, não cobiçará a propriedade do próximo e assim por diante". Assim, a lei que nos ordena as obras nos leva a Cristo para a nossa salvação e, uma vez salvos, Cristo nos conduz de volta à lei para as práticas das boas obras — é o que se chama santificação.

SANTIFICAÇÃO É UM ATO DE DEUS OU DEVEMOS BUSCÁ-LA?

Existe uma certa confusão quando falamos sobre santificação. Se santificação é um ato de Deus, isto é, se é Deus quem santifica o homem, então ninguém precisa buscar essa santificação? Afinal, o que exatamente é a santificação e como ela se dá?

Santificação é um processo gradual, no qual Deus atua no coração daquele que já foi regenerado, a fim de que, progressivamente, por meio de sofrimentos, provações, experiências, ensino da Palavra de Deus e pela graça, a pessoa aprenda a dominar as tentações, as paixões e as tendências de seu coração pecaminoso, vivendo segundo o modelo de Jesus. Santificação, portanto, é um processo que envolve dois elementos: a mortificação de nossa natureza pecaminosa e a prática de vida em conformidade com a Palavra de Deus.

Paulo explica muito bem essa questão: "Não mintam uns aos outros, pois vocês se despiram de sua antiga natureza e de todas as suas práticas perversas. Revistam-se da nova natureza e sejam renovados à medida que aprendem a conhecer seu Criador e se tornam semelhantes a ele" (Cl 3.9-10). Paulo usa aqui uma ilustração muito bonita: a de uma troca de roupas.

Você se despe da antiga natureza de pecado e se reveste de uma nova, em Cristo, resistindo ao pecado.

A ideia da santificação é que nos revistamos de Cristo diariamente, por fé, apropriando-nos dos benefícios de sua morte e ressurreição. Santificação é esse movimento de dois passos, em que, ao mesmo tempo, dizemos "não" ao pecado e positivamente nos revestimos de Cristo. A santificação consiste precisamente no amadurecimento dessa nova natureza, uma mudança de dentro para fora. Uma pessoa não regenerada, que não nasceu de novo, que não foi transformada pela atuação de Deus não tem como se santificar. Ela nem mesmo quererá.

É importante compreendermos qual parte do processo de santificação cabe ao homem e qual parte cabe a Deus. Na Bíblia, particularmente no Novo Testamento, há passagens que afirmam com clareza que é Deus quem nos santifica (cf. 1Ts 5.23). É Deus quem opera em nós tanto o querer, quanto o realizar, segundo a sua vontade (cf. Fl 2.13). Ou seja, é Deus quem vem por meio de seu Santo Espírito e nos persuade, é ele quem nos sustenta, preserva, segura, ilumina, levanta, ajuda a não reagir a provocações, traz quebrantamento quando erramos. Dizer que Deus está fora do processo de santificação seria negar todas essas passagens bíblicas, inclusive aquelas que dizem respeito ao Espírito Santo, que habita em nós, como sendo o santificador que nos guia e fortalece. Seria negar o fruto do Espírito.

Quando Paulo menciona, em Gálatas 5, o conflito que há na vida do cristão, diz que as obras advindas da natureza humana são conhecidas: "imoralidade sexual, impureza, sensualidade, idolatria, feitiçaria, hostilidade, discórdias, ciúmes, acessos de raiva, ambições egoístas, dissensões, divisões, inveja, bebedeiras, festanças desregradas e outros pecados semelhantes" (v. 19-21). Logo depois, o apóstolo diz que o fruto do

Espírito é: "amor, alegria, paz, paciência, amabilidade, bondade, fidelidade, mansidão e domínio próprio" (v. 22-23). Ou seja, são atribuídos ao Espírito Santo esses que são frutos da santificação. Não posso negar o que a Bíblia diz: é Deus quem nos santifica.

Mas não ficamos só nisso, pois encontramos muitas passagens no Novo Testamento em que o cristão é exortado a se santificar (cf. Cl 3.5-11). São dezenas de exortações apenas no Novo Testamento que orientam o crente a largar o pecado, virar as costas para o mundo e seguir no caminho do evangelho.

Como relacionamos, então, a ação de Deus e a do homem no processo de santificação? A resposta é que não podemos negar uma coisa nem outra, mas devemos contemplá-las juntamente, como os dois lados de uma mesma moeda. A santificação é uma obra de Deus, mas é uma obra em que ele, pela sua graça, em sua sabedoria e de maneiras misteriosas, nos envolve a ponto de, voluntária e espontaneamente, renunciarmos ao pecado e seguirmos a Cristo.

Há, portanto, a combinação harmoniosa de uma ação soberana de Deus com a vontade humana. As duas coisas se combinam no processo de santificação, a ponto de eu orar por minha livre e espontânea vontade, como fruto de uma decisão minha, mas, depois de eu ter orado, olho para trás e vejo que, se não fosse Deus e sua graça em minha vida, eu não teria sequer o desejo de orar. Que possamos pôr em prática aquilo a que o apóstolo Pedro nos orientou, e com suas palavras termino: "Agora, porém, sejam santos em tudo que fizerem, como é santo aquele que os chamou. Pois as Escrituras dizem: 'Sejam santos, porque eu sou santo'" (1Pe 1.15-16).

4

APOLOGÉTICA

COMO RECONHECER UMA SEITA?

Existem milhares de religiões no mundo. Obviamente, nem todas são ou estão certas, até porque muitas delas ensinam doutrinas contraditórias entre si. O próprio Jesus advertiu seus discípulos que viriam falsos profetas usando seu nome, ensinando mentiras para desviar as pessoas da verdade (Mt 24.24). O apóstolo Paulo também afirmou que certos indivíduos possuem a consciência cauterizada, falam mentiras e são inspirados por espíritos enganadores (1Tm 4.1-2). Chamamos essas religiões de seitas.

Não estamos dizendo que todos os que pertencem a uma seita são desonestos ou mal-intencionados. Há muitas pessoas sinceras, que se tornaram vítimas de falsos profetas. Para evitar que isso ocorra conosco, precisamos ser capazes de distinguir quais são os sinais típicos de uma seita. Embora elas sejam muitas, há pelo menos cinco marcas comuns a todas elas.

1. Toda seita tem outra fonte de autoridade além da Bíblia

Enquanto os cristãos protestantes admitem somente a Bíblia como fonte de conhecimento verdadeiro de Deus, as seitas adotam outras fontes. Algumas forjaram seus próprios livros; outras aceitam supostas revelações diretas da parte de Deus; há as que admitem as palavras de seus líderes como divinamente autoritativas; existem as que seguem novas revelações supostamente dadas por anjos ou pelo próprio Jesus; e por aí vai.

Mesmo que citem a Bíblia, para tais seitas as Escrituras são consideradas inferiores em relação a essas revelações. Quer saber se determinado grupo é considerado seita? Pergunte qual é a sua fonte de autoridade. Se a resposta é a Bíblia, e a Bíblia somente, então pode-se ficar um pouco mais tranquilo.

Mas, se a resposta contempla a Bíblia *mais* outro livro, profecias de fulano ou beltrano, tradição oral ou, ainda, livros que tentam ir além da Bíblia, então já temos o indicativo de que se trata de uma seita.

Para o cristão, somente a Bíblia é a única, verdadeira, infalível e autoritativa fonte de ensinos de Deus.

2. Seitas diminuem a pessoa de Jesus Cristo

Embora as seitas falem bem do nome de Cristo, elas não o consideram como verdadeiro Deus e, por vezes, nem como verdadeiro homem. Outras não o consideram o Salvador da humanidade.

Com frequência, essas seitas reduzem Jesus a um homem bom, sábio, iluminado, aperfeiçoado por meio de muitas encarnações. Ou, ainda, ele seria apenas mais uma manifestação de Deus, igual a outros líderes religiosos, como Buda ou Maomé. Com frequência, as seitas colocam outras pessoas no lugar de Cristo, a quem elas adoram e em quem confiam com grande esperança e devoção.

Devemos nos perguntar: qual é o lugar de Jesus nesse movimento, nesse sistema de crenças? Estaremos diante de uma seita se ela defender que Jesus Cristo não é o único e suficiente mediador (1Tm 2.5-6); se não considerar Jesus o Filho de Deus, a revelação maior e suprema do Pai; se puser ao lado de Jesus sua mãe terrena, santos ou outros mediadores; ou se considerar Jesus como menos que Deus ou mesmo um ser sem nenhuma característica de homem verdadeiro, ao mesmo tempo em que é verdadeiro Deus.

Nada nem ninguém pode diminuir a singularidade absoluta do Filho de Deus, nem diminuir sua glória e majestade.

3. Seitas ensinam salvação ou evolução pelas obras

Trata-se de uma crença que liga as seitas. Todas creem que o homem é capaz de fazer por si mesmo o que é necessário para salvar sua alma, ou evoluir para um estado melhor, e obter o perdão de Deus. O homem, para tais seitas, pode acumular méritos. Tais méritos adquiridos, que possibilitarão uma suposta progressão espiritual ou a salvação de um estado de sofrimento eterno, são obtidos por meio de práticas de boas obras nesta vida.

Muitas seitas falam em fé, mas sempre a fé é sujeita a um ato humano meritório. Isso é radicalmente oposto ao ensino bíblico da salvação pela graça mediante a fé (Ef 2.8-9).

Diz-se que, na verdade, só há duas religiões, muito embora a enciclopédia de religiões classifique milhares. No final, há uma religião que contempla o mérito humano, o esforço humano por meio de obras de caridade para a própria salvação ou evolução e a religião que contempla a salvação pela fé em Jesus Cristo mediante a graça, o favor imerecido de Deus, considerando o ser humano incapaz de fazer algo por si mesmo em termos espirituais.

Em outras palavras, de um lado há o cristianismo bíblico, que ensina que é Deus quem salva pela graça, mediante a fé na obra salvífica de Jesus Cristo em nosso favor; e, do outro, há todas as outras religiões já criadas, que propõem que o homem colabora, em alguma medida, para sua própria salvação ou evolução.

4. Seitas são exclusivistas em relação à salvação

A maioria das seitas prega que somente os membros de seu grupo religioso podem se salvar. Enquanto os cristãos creem que a salvação é dada a qualquer um que se arrependa de seus pecados, entregando sua vida ao único Salvador, Cristo Jesus, as seitas geralmente ensinam que não há salvação fora de sua comunidade. Não há salvação senão para seu rol de membros.

Essa também é uma característica de quase todas as seitas, que são grupos herméticos. Todas se veem como um grupo seleto, especial, exclusivamente selecionado por Deus. Fora da adesão formal a esse grupo visível, não há salvação.

Já o cristianismo entende que a Igreja verdadeira é invisível. Pessoas que creem em Jesus como seu Senhor e Salvador serão salvas em todas as denominações, em diversos lugares, em diversos países, aonde o evangelho chegar e onde as pessoas nele crerem. Isso é assim porque a salvação não está em igrejas, nem em pessoas, nem em grupos, mas sim em Jesus Cristo, mediante a fé em sua obra em favor dos seus.

5. As seitas se caracterizam por crer que são os fiéis dos últimos tempos

As seitas ensinam que receberam algum tipo de ensino que Deus havia guardado para os fiéis em tempos mais à frente. Toda vez que se aproxima um fim de milênio, cresce o número de seitas que alegam ser o remanescente fiel que Deus reservou para enfrentar os últimos dias da humanidade. Seus adeptos se veem como depositários, aqueles a quem Deus confiou a revelação final e completa nos últimos dias.

◆◆◆

Vale ressaltar que, entre os evangélicos, há grupos que se encaixam nas características das seitas. Eles possuem outras fontes de autoridade ao lado da Bíblia, possuem regrinhas específicas para a salvação, afirmam receber revelações de Deus, possuem a última novidade da parte de Deus para a humanidade. Temos de eliminar essa mentalidade de seita de nosso meio.

O evangelho está revelado somente na Palavra de Deus. Destina-se ao público, é aberto. Deve ser pregado ao mundo inteiro. Quem crer no Senhor Jesus e for batizado será salvo (Mc 16.16). As seitas são variações, perturbações, desvios, deturpações, mutações da verdadeira fé que Jesus Cristo nos deixou.

COMO RECONHECER OS FALSOS PROFETAS DA ATUALIDADE?

A Bíblia menciona diversas vezes "falsos profetas". No primeiro século, quando os escritores canônicos usavam essa designação, em geral se referiam a indivíduos que propagavam falsas doutrinas, tais quais os gnósticos de então, que fundiam os ensinamentos cristãos com a cosmovisão platônica, helênica. Uma aplicação para os dias de hoje seriam pessoas que propõem doutrinas que diminuem em qualquer grau a pessoa de Cristo. Qualquer ensino que dispa e despoje Jesus de sua glória, tanto de sua humanidade plena quanto de sua divindade plena, é oriundo de falsos profetas.

A Testemunhas de Jeová, por exemplo, é uma seita que nega a plena divindade de Jesus Cristo. Assim, segundo os ensinos de João em sua segunda epístola, não deveríamos recebê-los em casa. Aliás, é prática deles irem de porta em porta, pedirem um tempo para conversar e distribuírem exemplares das revistas proselitistas *A sentinela* e *Despertai!*. Devemos, sim, agradecer e expor com cordialidade que somos evangélicos e já conhecemos a verdade. Poderíamos mencionar também os mórmons, adeptos da chamada A Igreja de Jesus Cristo dos

Santos dos Últimos Dias. Trata-se de outra seita que afirma que Jesus é um ser criado, o que deturpa a real natureza preexistente e eterna de Cristo.

Há também o liberalismo teológico, que está infiltrado nas academias, nos seminários, nas instituições de ensino teológico. São pastores e professores com formação na área acadêmica que negarão a divindade de Jesus Cristo. Dirão que isso é uma invenção dos apóstolos de Jesus, que transformaram um profeta e reformador judeu criado em Nazaré e o elevaram à categoria de Deus. Eles alegam que, ao escrever o Novo Testamento, os discípulos lhe imputaram essa divindade que, historicamente, ele não detinha.

Esses são exemplos de heresias modernas, contra as quais devemos nos posicionar. Não podemos acatar o que dizem, nem receber os que tais erros propagam (2Jo 9-11).

Eu poderia ir adiante e apresentar formas mais sutis de diminuir a pessoa de Cristo. Quando se pensa que o papel de Jesus é somente me dar pão, emprego, carro, casamento, apartamento e outras benesses materiais e temporais, isso diminui a obra de Cristo de forma vergonhosa. Ela é muito superior, sublime e maravilhoso e sua atuação é extremamente mais elevada do que apenas nos dar bens. O Senhor Jesus veio nos redimir desse mundo mau, inaugurou o reino de Deus, deu início aos últimos tempos e ao mundo vindouro que se aproxima. Portanto, a glória da obra de Cristo é extraordinária.

E o que certos pregadores fazem hoje em dia? Transformam o Deus Filho em "despachante" de crente. O gênio da lâmpada mágica. Sua pregação nos leva a crer que basta esfregar a lâmpada ao ter fé que Jesus aparecerá, receberá nossa lista de compras e nos concederá milagrosamente todos os mimos que almejamos. Esse é um meio de negar Jesus.

Da mesma forma, dentro do setor mais conservador do evangelicalismo, o perigo está em tornar Cristo apenas uma ideia. A pessoa tem até a doutrina correta a respeito de Cristo, mas não existe aquele relacionamento vivo com o Senhor Jesus. É preciso ter a comunhão diária e crer no poder da ressurreição para viver uma vida santa que agrade a Deus.

Assim, a ortodoxia morta, o liberalismo teológico, a libertinagem, a teologia da prosperidade, o utilitarismo e outros sistemas de pensamento são formas modernas de negar Jesus Cristo.

O crente precisa estar atento e conhecer o que a Bíblia diz a respeito de Jesus: ele é o Filho de Deus, verdadeiro Deus, verdadeiro homem, eterno, imutável, da mesma essência que o Pai, gerado mas não criado, Salvador da condenação e do sofrimento eternos. Ele se entregou por nossos pecados, morreu na cruz, ressuscitou literal e historicamente dentre os mortos, subiu aos céus, tem todo o poder nos céus e na terra e está ocupado neste momento trazendo o reino vindouro, o novo céu e a nova terra, onde habita a justiça. Conclama todos os homens a que se arrependam de seus pecados e creiam nele para a salvação. Caso contrário, enfrentarão a ira de Deus no inferno, no lago que arde com fogo e enxofre. Essa é a mensagem bíblica. Qualquer coisa mais ou menos que isso vem de falsos profetas, os que difundem outro evangelho.

HÁ COMO CONCILIAR CIÊNCIA E FÉ?

A teoria da evolução tem sido cada vez mais criticada, porque não tem conseguido fornecer respostas concretas às dúvidas de ordem científica e filosófica que surgiram e surgem quanto ao tema. Por exemplo: nada se origina do nada, logo, por que existe uma realidade em vez de não existir nada? Qual foi a origem de todas as coisas? O espírito pode vir da matéria? A consciência pensante vem da matéria? Se tudo o que existe e sempre existiu é somente matéria, como pode matéria gerar espírito ou consciência?

Mesmo considerando os sempre alegados "bilhões e bilhões de anos", o processo de seleção natural não explica as irredutibilidades complexas. A bioquímica vem descobrindo máquinas biológicas com precisão incrível: peças que se encaixam com exatidão impressionante, a ponto de, se retirarmos apenas uma, todo o sistema deixar de funcionar.

A ciência também descobriu que essas pequenas "máquinas" dentro de nós fazem o que fazem por causa de informações contidas em nosso DNA. São esses dados que informam a toda pequena máquina dentro de nós o que cada uma deve fazer. Então, de onde veio toda essa maravilhosa complexidade? No campo da paleontologia, os registros fósseis que temos hoje não apoiam a ideia da evolução gradual das espécies. Basta olhar para o mundo com toda sua maravilhosa criação que veremos propósito e veremos *design*. Ainda que ateus conhecidos, como Richard Dawkins, admitam que existe propósito na natureza, isso seria apenas aparente, sob a alegação de que tudo veio a existir do nada, do caos.

Penso que o cristianismo, com seu conceito de que há um Deus que está por trás de toda criação, traz respostas mais convincentes e satisfatórias para a mente e o coração dos homens. Não há absolutamente nenhuma contradição na crença em Deus e nos achados das ciências. O problema com a ciência moderna não é com a ciência em si, mas com a visão de mundo materialista que acabou por ocupar a academia. A ciência moderna é, em grande parte, fruto da visão e do trabalho de homens e mulheres que acreditavam em Deus.

Deixe-me apresentar uma lista de cientistas cristãos que fundaram diversos ramos da ciência moderna: Louis Pasteur (bacteriologia), Isaac Newton (cálculo e dinâmica), Johannes Kepler (mecânica celestial), Robert Boyle (química e dinâmica dos gases), Georges Currier (anatomia comparada), J. Fleming (eletrônica), Maxwell (eletrodinâmica), Faraday (eletromagnetismo), Kelvin (energética), William Hurshell (genética), Gregor Mendel (genética), Blaise Pascal (hidrostática), William Ramsay (química isotópica). Todos eles eram cristãos! Alguns eram protestantes, outros católicos, mas todos eram cristãos. Todos acreditavam que o mundo fora criado por Deus, um Criador inteligente, um Deus de ordem, que instituiu leis naturais.

Essas pessoas seguiram o caminho das ciências para conhecer mais profundamente a criação e, com isso, conhecer mais a Deus. Eles não viam conflito algum entre ciência e

Deus, assim como nós também não devemos ver nenhum conflito nesse sentido. A ciência analisa a realidade visível e mensurável. Dessa forma, é impossível que ela determine os limites da realidade. Deus está acima desses limites e dessas realidades invisíveis.

Max Planck, ganhador do prêmio Nobel de Física, em 1918, disse: "Desde a infância a fé firme e inabalável no todo-poderoso e todo-bondoso Deus tem profundas raízes em mim. Decerto seus caminhos não são os nossos caminhos, mas a confiança nele nos ajuda a vencer as provações mais difíceis". Já Heisenberg, ganhador do prêmio Nobel de Física, em 1932, afirmou: "O primeiro gole do copo das ciências naturais fará de você um ateu. Mas, no fundo do copo, Deus o aguarda". Por sua vez, Nevill Francis Mott, ganhador do prêmio Nobel de Física, em 1977, destacou: "Os milagres da história humana são aqueles em que Deus falou aos homens. O supremo milagre para os cristãos é a ressurreição. Alguma coisa aconteceu com aqueles poucos homens que conheceram Jesus e o que os levou a acreditar que ele estava vivo. E, com tal intensidade e convicção, essa fé permanece a base da Igreja cristã dois mil anos depois".

Cito, por fim, o ganhador do prêmio Nobel de Física, em 1981, Arthur Leonard Schawlow, que disse: "Eu encontro uma necessidade por Deus no universo e em minha própria vida. Somos afortunados em ter a Bíblia, especialmente o Novo Testamento, que nos fala de Deus em termos humanos. Muito acessível, embora também nos deixe algumas coisas difíceis de entender". Nesses poucos exemplos, vemos mentes privilegiadas, brilhantes, afirmando sua plena confiança na existência de Deus.

Creio que Deus seja a melhor explicação para determinados aspectos de nossa vida e da realidade que nos cerca.

COMO DEVO ENXERGAR A IGREJA CATÓLICA APOSTÓLICA ROMANA?

O Brasil é um país predominantemente cristão. Essa afirmação diz respeito ao fato de que o país está dividido entre católicos e protestantes. Apesar disso, esses dois segmentos cristãos não caminham juntos e, não raramente, os evangélicos criticam bastante a Igreja Católica Apostólica Romana (ICAR), e vice-versa. Para entender as razões para as críticas à ICAR, é preciso conhecer o fundo histórico e teológico para o antagonismo entre protestantes e católicos.

A primeira razão histórica é a Reforma Protestante do século 16. Os evangélicos são, historicamente, oriundos dessa Reforma. Esse evento foi uma tentativa de mudar uma série de doutrinas e práticas vigentes na Idade Média e que, de acordo com os reformadores, não estava ancorada na Palavra de Deus. O movimento da Reforma ganhou muito peso, recebendo a adesão de autoridades, reis, príncipes e governadores. Dessa forma, o movimento causou forte impacto em toda a Europa e, de lá, espalhou suas ideias para diversas partes do mundo.

Como os evangélicos são descendentes diretos desse movimento de reforma interna da ICAR, é natural que ainda hoje várias das críticas continuem sendo feitas, uma vez que os católicos não aceitaram a proposta da Reforma. Algum tempo depois da Reforma Protestante, a ICAR reagiu promovendo a Contrarreforma, que se consolidou no Concílio de Trento. Nesse concílio, a ICAR reafirmou suas posições antigas, condenou o protestantismo e aproveitou para alterar o cânon bíblico. Foram incluídos livros que não constavam do cânon reconhecido como inspirado de forma majoritária, embora se tratassem de livros respeitados. A liderança católica estabeleceu, assim, de forma muito clara, uma diferença entre os livros considerados inspirados pelo lado protestante comparativamente aos novos livros considerados inspirados por eles (chamados de deuterocanônicos).

Quando as navegações trouxeram os europeus ao Brasil, a colonização portuguesa trouxe consigo a fé católica. Junto com os desbravadores portugueses, vieram os padres e missionários, que, por sinal, fizeram um bom trabalho: montaram escolas, promoveram catequese e trabalho social. Alguns desses católicos portugueses chegaram a ser martirizados pelos nativos.

O Brasil, então, consolidou-se como uma nação sob a fé católica romana. Quando os protestantes aqui chegaram pela primeira vez, no século 16, aproximadamente em 1550, os chamados huguenotes, aqui enviados pelo reformador francês João Calvino, acabaram por ser martirizados por um almirante, Nicolas Durand de Villegagnon. Assim, boa parte desses protestantes foram mortos quando aqui chegaram e a outra parte foi enviada de volta para a Europa, sem que tenhamos registro de que lá tenham chegado sãos e salvos.

Posteriormente, houve uma segunda tentativa de evangelização por parte dos protestantes no Brasil, que foi o período da dominação holandesa no Nordeste. Os holandeses, ao contrário dos portugueses, eram protestantes. Junto com os soldados enviados, vieram pastores, com a missão de pregar e ensinar o evangelho de Cristo. Em cerca de vinte anos, os protestantes holandeses catequisaram índios, pregaram o evangelho e acabaram sendo expulsos pelos portugueses.

Foi por volta de 150 anos atrás que começaram a chegar os missionários enviados dos Estados Unidos e da Europa para pregar o evangelho. Não foram muito bem recebidos pela ICAR. Na época, o Estado brasileiro era católico e a ideia de Estado laico surgiu somente depois. No início das missões protestantes em nosso país, a religião oficial era o catolicismo. Como resultado, os protestantes eram apedrejados, Bíblias eram queimadas e a construção de templos foi proibida. Quando se sabia que em determinado lugar havia uma reunião de protestantes, o local era apedrejado. E, até mesmo bem depois, quando se permitiu liberdade de religião no Brasil, época em que os protestantes já podiam erguer seus templos para adorar a Deus e pregar a Palavra, a perseguição continuou.

Portanto, há essa animosidade histórica por conta da Reforma Protestante do século 16. O motivo pelo qual os evangélicos continuam tendo esse posicionamento crítico em relação à ICAR é que ela não mudou. Apesar da Reforma Protestante e dos alardes à luz das Escrituras feitos por Martinho Lutero, João Calvino, Zuínglio, Melâncton e tantos outros, a ICAR não mudou seus dogmas, que continuam os mesmos do século 16. Por exemplo, a veneração de imagens, o culto à virgem Maria, a mediação dos santos, a doutrina do purgatório, a colocação da tradição oral da igreja no mesmo nível de dignidade das Escrituras, a infalibilidade do Papa, a afirmação de que o Papa é o chefe da cristandade e representante de Jesus Cristo neste mundo, a ideia dos sete sacramentos como meios de graça e salvação, a adição de livros apócrifos na Bíblia e a salvação conquistada por meio das boas obras atuando de forma sinergística com a obra de Cristo na cruz.

Por conta de todos esses fatores e outros, os protestantes continuam olhando para a ICAR como uma igreja que precisa se reformar em alguns pontos à luz da Palavra de Deus. Precisa abrir mão de suas imagens, renunciar à ideia de que a salvação está ligada à igreja e aos sacramentos por ela administrados, negar o pressuposto de que o padre pode perdoar pecados no confessionário, abandonar o dogma de que o pão e o vinho se transformam no corpo e no sangue de Cristo.

Todos esses pontos, a que a ICAR precisa renunciar, são vistos sob o prisma evangélico e bíblico. Os evangélicos, que têm a Bíblia e somente a Bíblia como único guia de fé e de prática, sentem-se impelidos a dizer que tais práticas e crenças não estão de acordo com a Palavra de Deus e, portanto, não podem constar do culto de uma igreja que se diz cristã.

Isso, obviamente, não justifica a atitude de alguns evangélicos que ofendem Maria ou chutam estátuas católicas. Episódios como esse são lamentáveis. Precisamos fazer a diferença entre ideias, conceitos e doutrinas e pessoas. Estou certo de que dentro da ICAR há irmãos em Cristo, gente que crê em Jesus Cristo e nele somente para a salvação. E, se eles forem crentes em Jesus Cristo realmente, sentirão dificuldade com a doutrina de sua igreja. Mas precisamos diferenciar a doutrina e a pessoa. Devemos tratar todos com muito respeito, isto é, da mesma forma como queremos ser tratados.

Claro que isso não anula o nosso direito de defender nossa posição à luz da Palavra de Deus. A ICAR precisa se reformar nos pontos que foram apresentados pelos reformadores 500 anos atrás e que não estão de acordo com a Palavra. Se for para discordar, que seja feito em termos bíblicos.

INFALIBILIDADE PAPAL É BÍBLICA?

A infalibilidade papal é um dos dogmas da Igreja Católica Apostólica Romana (ICAR). A teologia da ICAR diz que o Papa, em comunhão com o sagrado magistério, quando delibera e define ou clarifica solenemente algo em matéria de fé, moral ou costumes, *ex cathedra*, ou seja, a partir da cadeira de Pedro, está sempre correto. Sua interpretação é considerada sem falha e não pode ser corrigida. Gostaria de explicar essa questão da infalibilidade (além de como surgiu o papado), por ser algo que foi e continua sendo contestado pelos protestantes.

A origem do papado remonta aos primeiros séculos da história da Igreja cristã, fundamentalmente com a separação das funções entre bispo e presbítero. No Novo Testamento, encontramos descrito que os apóstolos, quando plantavam igrejas, também promoviam a eleição da liderança local. Tais indivíduos eleitos eram chamados de "presbíteros", termo que, em grego, significa "anciãos".

Em Atos 20.17, quando Paulo reúne os presbíteros da igreja de Éfeso, eles são chamados também de "bispos". "Bispo" vem do grego *episkopos*, que significa "supervisor". Portanto, são dois nomes para a mesma função. São os pastores, pessoas eleitas pelo povo, que têm maturidade espiritual e que supervisionarão o trabalho dos homens realizado para Deus visando à proclamação de seu reino. Eles pregarão a Palavra de Deus, governarão a igreja, promoverão batismos, celebrarão a ceia, entre outras funções. Assim, "presbítero", "bispo" e "pastor" são termos que significavam a mesma coisa na Igreja primitiva. A divisão que muitas igrejas e denominações adotam hoje, como sendo uma espécie de hierarquia, não existia entre os primeiros cristãos.

Biblicamente, não se tem apenas um único presbítero em uma igreja, mas vários, todos eleitos pelo povo reunido em assembleia. A escolha do bispo, assim, é sempre resultado de uma eleição dos membros da igreja. Esse sistema de governo eclesiástico colegiado é o modelo que encontramos no Novo Testamento para a regência da igreja, os demais foram criados posteriormente.

Tanto é assim que, depois que os apóstolos morreram, eles não foram mais substituídos. Naturalmente, os presbíteros foram tomando o lugar deixado pelos apóstolos, promovendo o trabalho pastoral em cima dos trabalhos já realizados por aqueles, não em continuação, não em extensão, não na mesma importância, mas sob um legado já posto.

Contudo, no final do primeiro século, começaram a aparecer falsos "apóstolos". Os hereges gnósticos começaram a reivindicar para alguns o título de "apóstolo". Segundo afirmavam, tratavam-se dos sucessores diretos dos doze apóstolos e de Paulo. Dessa forma, os pastores e os presbíteros, especialmente aqueles das cidades mais importantes, como Constantinopla, Roma e Éfeso, combateram os gnósticos, alegando que eles não eram sucessores dos apóstolos. Tais sucessores eram os presbíteros que tinham aprendido diretamente com os apóstolos, como Papias, que tinha sido seguidor do apóstolo João.

O problema é que eles tentaram combater o erro dos gnósticos afirmando a sucessão episcopal. Ou seja, que os bispos e presbíteros eram sucessores dos apóstolos. Com o passar do tempo, a igreja de Roma ganhou destaque entre as demais, porque ficava na capital do Império Romano. Isso lhe dava uma influência política e eclesiástica muito grande sobre as demais igrejas. E aqui começou o erro que mencionamos anteriormente, o início de uma diferenciação conceitual entre bispo e presbítero.

Por conta desse erro, o bispo começou a ascender hierarquicamente acima do presbítero, adquirindo poder para fazer coisas que os presbíteros antes só faziam em colegiado. Daí surge a figura do bispo monástico, isto é, um bispo com superpoderes temporais: ele podia remover e inserir pastores, interferir em igrejas, expedir decretos e leis, e coisas assim — o que é uma distorção do modelo original da Igreja. Não há na estrutura eclesiástica da Igreja primitiva a figura de um bispo hierarquicamente superior aos pastores, essa é uma invenção sem fundamento se tomarmos como referência o cristianismo do primeiro século.

Eis, então, que o bispo da cidade de Roma começou a alegar que tinha autoridade sobre toda a Igreja, uma vez que Roma era a cidade mais importante do império e detinha a igreja mais poderosa até então. Não demorou muito para que o bispo de Roma se declarasse "Papa": o pai de toda a cristandade. A alegação era de que ele era o sucessor do apóstolo Pedro. Já que a tradição nos conta que Pedro morreu em Roma, crucificado de cabeça para baixo, e que, segundo alegam os católicos, ele teria sido bispo nessa cidade, todo aquele que fosse bispo em Roma seria naturalmente o sucessor de Pedro.

Considerando ainda que Pedro era aquele a quem Jesus disse: "você é Pedro, e sobre esta pedra edificarei minha igreja" (Mt 16.18), então o bispo de Roma começou a arrogar-se o privilégio de ser o cabeça da Igreja, aquele que representa Jesus Cristo e que é o legítimo sucessor do chefe dos apóstolos. Essa é a origem do papado.

Depois da criação dessa instituição, o papado foi adquirindo mais e mais poder. Com o tempo, começaram a ser criados dentro da hierarquia eclesiástica outros cargos que eram inexistentes na Igreja primitiva, como o de cardeal, o de arcebispo e o de bispo com autoridade sobre outros pastores. Entretanto, essa hierarquização dos cargos eclesiásticos não ocorreu sem muitas brigas e controvérsias.

Em 1054, houve o grande cisma, no qual a igreja oriental se separou da igreja ocidental por conta dessa doutrina papal. A igreja do oriente, que tinha sua sede em Constantinopla, se separou da igreja ocidental, que tinha sede em Roma. O grande cisma seguinte seria a Reforma Protestante. Outra vez a Igreja se dividiu por conta de doutrinas vindas do papado.

Os protestantes não aceitavam a alegada "sucessão apostólica" por meio dos bispos. Muito menos aceitavam que o bispo de Roma fosse o sucessor de Pedro. E, igualmente, não aceitavam que os papas tivessem todos os poderes que diziam ter. Além disso, para os reformadores, a autoridade maior era da Bíblia e não do papado.

Se o papado é antigo, a doutrina da infalibilidade papal é mais recente. Foi instituída pelo Concílio Vaticano I, em 1870. A decisão determina que, quando o Papa está desempenhando o papel de pastor e doutor "de todos os cristãos", ele, ao definir alguma doutrina sobre a fé e a moral, detém a infalibilidade com a qual Cristo quis munir sua Igreja.

Naturalmente, esse é um ponto que tem sido muito combatido por protestantes do passado e do presente. É preciso dizer que não há fundamento algum no Novo Testamento para que se diga que Pedro era a base da igreja, a pedra. Quando Jesus disse "você é Pedro, e sobre esta pedra edificarei minha igreja", a pedra era a declaração que Pedro havia acabado de fazer de que Cristo era o Filho do Deus vivo. A igreja se ergueria sobre essa pedra, essa afirmação, e não sobre a figura frágil de Pedro. Tanto que, pouco depois, Pedro disse a Jesus que ele não iria para a cruz, ao que o Senhor lhe respondeu "Afaste-se de mim, Satanás! Você é uma pedra de tropeço para mim. Considera as coisas apenas do ponto de vista humano, e não da perspectiva de Deus" (Mt 16. 23). Essa frase de Pedro de que Jesus não morreria na cruz já era um erro que contradiria a alegada "infalibilidade" papal.

Além disso, é interessante notar que o próprio Pedro registrou por escrito que a Pedra é Cristo, em 1Pedro 2.4! Portanto, não há nenhuma base bíblica no Novo Testamento para defender a doutrina do papado e muito menos a da infalibilidade papal, que são invenções humanas, sem fundamentação bíblica alguma.

O PURGATÓRIO EXISTE?

A Igreja Católica Apostólica Romana (ICAR) tem como uma de suas principais doutrinas a do purgatório. Seu catecismo a explica nos seguintes termos:

> Os que morrem na graça e na amizade com Deus, mas não estão completamente purificados, embora tenham sua salvação eterna, passam, após sua morte, por uma purificação a fim de obter a santidade necessária para entrar na alegria do Céu. A Igreja [católica] denomina "purgatório" esta purificação final dos eleitos que é completamente distinta do castigo dos condenados.[1]

Assim, para a doutrina católica, a ideia é que, para que a pessoa possa entrar no céu, lugar totalmente santo, deve estar completamente purificada de todos os seus pecados. A ICAR advoga que, se na vida terrena não houve tempo ou condições adequadas para tanto, depois da morte haveria um período de purificação, de sofrimento, onde, pelo fogo, a pessoa teria

---

[1] *Catecismo da Igreja Católica*. São Paulo: Edições Loyola, 2004, p. 290.

perdoados alguns pecados, faltas leves, alcançando a completa purificação do ser e trazendo a completa restauração espiritual em santidade. Depois disso, o indivíduo seria conduzido ao céu.

Essa ideia antibíblica começou a entrar na teologia católica na Idade Média, tendo sida estabelecida oficialmente por meio de concílios. Hoje, é parte tradicional dos dogmas da ICAR. Sabemos que a doutrina do purgatório foi um dos estopins da Reforma Protestante. Na época, no século 16, havia vendedores de indulgências, isto é, documentos que asseguravam o perdão papal em troca de dinheiro, para que a pessoa não tivesse de permanecer muito tempo no purgatório, após a morte.

Funcionava assim: se o indivíduo comprasse uma indulgência, ao morrer, em vez de passar, digamos, dez anos no purgatório, sofrendo antes de entrar no céu, ele poderia passar poucos anos ou não passar tempo algum. O período de abreviação do purgatório dependeria de quanto custaria a indulgência a ser adquirida. Foi justamente essa venda de indulgências que provocou a reação do então monge agostiniano Martinho Lutero. Ele revoltou-se ao ver que o perdão de Deus estava sendo vendido por dinheiro e resolveu protestar, o que acabou gerando o imenso movimento da Reforma Protestante.

Há vários motivos pelos quais discordamos do dogma católico do purgatório. Primeiro, não há justificativa para tal crença na Bíblia. O texto das Escrituras que os católicos tentam usar para embasar escrituristicamente tal ensino é:

> Pela graça que me foi dada, lancei o alicerce como um construtor competente, e agora outros estão construindo sobre ele. Mas quem constrói sobre o alicerce precisa ter muito cuidado, pois ninguém pode lançar outro alicerce além daquele que já foi posto, isto é, Jesus Cristo. Aqueles que constroem sobre esse alicerce

podem usar vários materiais: ouro, prata, pedras preciosas, madeira, feno ou palha. No dia do juízo, porém, o fogo revelará que tipo de obra cada construtor realizou, e o fogo mostrará se a obra tem algum valor. Se ela sobreviver, o construtor receberá recompensa. Se ela queimar, o construtor sofrerá grande prejuízo, mas será salvo como alguém que é resgatado do meio do fogo.

1Coríntios 3.10-15

A questão é que o apóstolo Paulo está dizendo aqui apenas que, no dia do juízo, Deus haverá de examinar as nossas obras e, em seguida, nos encaminhará para a glória eterna. Alguns receberão o que conhecemos como "galardão", que são recompensas da parte de Deus, e outros não. Esse texto nada fala sobre um período de sofrimento após a morte. Isso é apenas uma amostra de como se distorcem os textos bíblicos para tentar justificar doutrinas que nasceram extrabíblicas.

Segundo, aceitar a doutrina do purgatório seria diminuir a obra de Cristo. A ideia do purgatório é que se uma pessoa é destinada à salvação, mas não está totalmente purificada de seus pecados, então será necessário um período de purificação para terminar sua necessária santificação. Mas onde se encaixa o sacrifício de Cristo nessa doutrina? A obra de Cristo fica relativizada. Para que Cristo desceu do alto de sua glória para morrer por pecadores? Por que precisou derramar seu sangue? Por que ele disse: "Está consumado"?

Cristo é Salvador completo e perfeito! Sua obra é totalmente eficaz em nos purificar, em nos purgar, de todo e qualquer pecado. Se uma pessoa se arrepende de seus pecados em vida e crê no Senhor Jesus Cristo, terá, certamente, a vida eterna. Tem o perdão completo aqui e agora. E, claro, tal pessoa passará a ter uma vida de santidade não para merecer o céu, porque não é por merecimento que somos salvos, mas como agradecimento a Deus por ter enviado seu único Filho para morrer na cruz por nós.

O que purifica pecado não é o nosso sofrimento, mas o sofrimento de Cristo, que constitui o sofrimento vicário completo! O meu sofrimento não purifica pecado algum. Apenas o dele. Com meu sofrimento, só estou recebendo o castigo que mereço. E mais: isso não tira a minha culpa. O que tira a minha culpa é o sacrifício e o sofrimento de Cristo em meu favor. E ele sofreu e morreu naquela cruz há dois mil anos, completando o sacrifício perfeito de Deus e para Deus. Jesus Cristo pode salvar perfeitamente aqueles que por ele se achegam a Deus (Hb 7.25).

Terceiro, ao procurar na Bíblia o que acontece depois da morte, verificamos que a Palavra menciona apenas dois lugares: céu e inferno. Não há outra alternativa. Não há localidade no meio do caminho. O céu é para aqueles que reconheceram seus pecados e se arrependeram, voltando-se para Deus pelo único caminho possível: Jesus Cristo. Eles receberam a Cristo como único e suficiente Salvador de sua vida. A esses são dados gratuitamente a vida eterna, o perdão de pecados, a purificação de suas iniquidades, a justificação de seus erros.

O outro destino depois da morte é o inferno. Jesus falou mais sobre o inferno do que qualquer outra pessoa no Novo Testamento. É compreensível que o tenha feito, uma vez que ele desceu de sua glória somente para nos salvar, livrando-nos do inferno. O inferno é um local, não geográfico, mas um local onde o estado natural é o de sofrimento e extrema agonia. Ali os pecadores não arrependidos serão lançados. Será assim porque viveram sua vida longe de Deus, não se reconheceram como pecadores, recusaram a oferta generosa do Senhor feita mediante Jesus Cristo, e por isso viverão e sofrerão eternamente afastados de Deus. Isso é o inferno.

O problema da doutrina do purgatório é que tira a seriedade do que vem depois da morte de uma pessoa. Ninguém deve pensar que terá outra chance após a morte. Depois desta vida, não haverá chance alguma em outra reencarnação nem uma segunda chance de terminar a purificação em um purgatório hipotético. Não! Ou é céu ou inferno. E inferno é para quem não se arrepende, não busca a Deus e alimenta seus pecados.

Só há um caminho para o céu: crer no Senhor Jesus e se arrepender de seus pecados.

POR QUE NÃO CULTUAMOS SANTOS?

O Brasil é um país religioso. Isso se vê nos diversos feriados religiosos em todas as partes do país, especialmente os dedicados aos santos e padroeiros do catolicismo: São João, São Pedro, Santo Expedito e por aí vai. Mas o que a Bíblia diz sobre isso? Seria essa devoção a seres humanos mortos uma manifestação aceitável por Deus?

A realidade é que não há precedente bíblico nenhum para a veneração dos santos. Se tomarmos a Bíblia como referencial para essa questão, no sentido de nos orientar em como proceder na canonização de pessoas, conferindo-lhes *status* de santos, padroeiros e coisas semelhantes, certamente nada acharemos a esse respeito.

Não há nada na Palavra de Deus que nos diga que tenhamos de tratar grandes homens e mulheres de Deus dessa maneira. De igual modo, não há na Palavra nenhum exemplo de pessoas que receberam *status* espiritual acima do de seus irmãos. O próprio Jesus disse que ele era o Mestre e que todos somos irmãos (Mt 23.8).

Considerando o fato de que todos somos pecadores e fomos salvos mediante a graça de Deus, pela fé em Jesus Cristo, podemos dizer que não existe diferenciação de *status* espiritual entre nós. Somos *todos* pecadores justificados pela mesma graça. Como disse o apóstolo Paulo, há uma só fé, um só batismo e um só Espírito de quem todos nós bebemos (Ef 4.4-6). Portanto, não existe essa distinção.

O surgimento dessa prática de veneração dos santos ocorreu no cristianismo da Idade Média, mais especificamente dentro do catolicismo romano, com a distinção entre leigos e clérigos, quando se passou a considerar os votos feitos às ordens sacerdotais como um sacramento, isto é, um meio de graça. Quem participa dele, recebe de Deus um favor especial. Assim, uma pessoa que resolvesse seguir o sacerdócio católico era considerada superior aos leigos, pelo menos em termos espirituais. A introdução dessa dicotomia na teologia cristã é infeliz, haja vista a falta de fundamentação bíblica.

Se uma pessoa tem um elevado grau de santidade e piedade, ou mesmo se recebeu de Deus o dom de realizar sinais e prodígios, isso não é baseado no mérito pessoal. Trata-se apenas de uma concessão, uma dádiva gratuita fundamentada unicamente na vontade de Deus. Presta-se a abençoar a própria pessoa, e essa, a outras.

Na verdade, o que encontramos na Bíblia é exatamente o oposto. Homens de Deus fugiam de qualquer tentativa de "canonização" ou veneração humana. Um exemplo é o episódio relatado em Atos 10, quando Pedro vai até a casa de Cornélio pregar o evangelho e Cornélio lança-se aos seus pés para venerá-lo. Pedro diz que não aceitaria aquilo. "Fique de pé! Eu sou apenas um homem como você" (At 10.26). Dessa forma, Pedro — supostamente, o primeiro Papa — nunca quis receber veneração de ninguém.

Os católicos afirmam que adoram a Deus e apenas "veneram" os santos. Teoricamente, há uma diferença entre essas duas práticas: existe a *latria*, que é adoração, e a *dolia*, que é a veneração. Mas, na prática, não há diferença alguma. As pessoas se curvam diante das imagens, oram aos santos, procuram obter por meio dos padroeiros favores especiais e muito mais. Na prática, o catolicismo popular, infelizmente, mistura bastante as coisas, o que faz as pessoas mergulharem na idolatria.

Idolatria é dar a alguma coisa ou pessoa o lugar de Deus, o que implica dividir a glória de Deus com alguém. É lamentável que isso aconteça, porque a Bíblia é muito clara ao condenar a idolatria. O Decálogo nos orienta a não fazer imagens de escultura, não adorá-las e não prestar-lhes culto (Êx 20.4-5).

Sei que a introdução das imagens de santos e padroeiros na Idade Média nas igrejas católicas se deu com fins didáticos. O argumento por trás da prática era de que o povo era demasiadamente iletrado para entender algumas concepções elevadas do evangelho. Eles criam que, se o povo tivesse diante de si as imagens dos grandes heróis da fé que vemos na Bíblia, aquelas imagens poderiam servir para estimular a fé. Elas poderiam despertar o exemplo, e as pessoas teriam um referencial.

Mas não demorou muito até que o povo se dirigisse às pessoas que eram representadas por essas imagens em busca de suas qualidades espirituais na intercessão a Deus ou favorecendo diretamente aqueles que os buscavam. Tudo isso gerou a idolatria, com firmes condenações bíblicas. O mandamento que mencionamos inclui imagens de santos canonizados pelo Papa, imagens de Jesus, crucifixos que são adorados ou qualquer outro objeto que é feito com propósitos de adoração, servindo como amuleto.

COMO DEVE SER NOSSA RELAÇÃO COM A VIRGEM MARIA?

A doutrina da Igreja Católica Apostólica Romana (ICAR) afirma que Maria, mãe de Jesus, é também nossa mãe e intercessora junto ao seu Filho, no céu. A base dessa doutrina é o que se vê em João 19.26-27, onde se lê: "Quando Jesus viu sua mãe ali, ao lado do discípulo a quem ele amava, disse-lhe: 'Mulher, este é seu filho'. E, ao discípulo, disse: 'Esta é sua mãe'. Daquele momento em diante, o discípulo a recebeu em sua casa". Será que Jesus quis dizer com isso que ela é a mãe da Igreja? A resposta é *não*.

Jesus estava na cruz, morrendo, preocupado com o futuro de sua mãe. Provavelmente, José, marido de Maria, a essa altura já estava morto. Maria seria, então, viúva. Por isso, Jesus, diz a João, seu discípulo mais chegado, que tome conta dela. Tanto é assim que o texto prossegue e nos diz que a partir daquele momento o discípulo a acolheu na sua casa.

Não há mistério nessa passagem. A interpretação correta é que João tomou Maria para morar consigo a fim de cuidar dela. Quando Jesus diz: "Esta é sua mãe", não há nenhum significado teológico, místico ou religioso nisso. É como se

Jesus dissesse: "Cuide dela como se fosse sua mãe". Trata-se de mera questão prática. Daí a inferir que Jesus estava colocando Maria na posição de mãe de Deus e medianeira entre Deus e os homens, há uma longa distância. A verdade é que não há a menor fundamentação bíblica para essa doutrina.

O argumento usado pela doutrina católica romana é um silogismo: Jesus é Deus e Maria é mãe de Jesus, logo, Maria é mãe de Deus. A argumentação é falaciosa porque a verdade não é exatamente essa. O argumento correto seria: Jesus é Deus e homem e Maria é mãe da parte humana de Jesus, logo, Maria é mãe de Jesus enquanto homem.

Já nos séculos 3 e 4, Maria fora alçada à posição de mãe de Deus. Os teólogos medievais lhe conferiram ainda outros atributos não encontrados na Palavra de Deus. Por exemplo, insistiram na virgindade perpétua de Maria. Creio que o motivo pelo qual a ICAR suscitou um dogma sobre essa questão, afirmando que Maria não teve relações durante sua vida conjugal com José, era a valorização na época medieval do celibato dos sacerdotes. O padre deveria ser solteiro, até porque o sustento de um padre com família seria bem mais caro para os cofres da ICAR. Havia uma série de vantagens em manter os padres solteiros e sem filhos. Maria, então, foi colocada como padrão, pois, segundo dizem, jamais teve relações sexuais com José, seu marido.

A verdade é que o texto bíblico menciona, inclusive, os irmãos de Jesus, que são filhos que Maria teve depois que Jesus nasceu. No Evangelho de Marcos, temos os nomes desses irmãos (Mc 3.31-32; 6.3). Além disso, o texto do Evangelho de Mateus diz que José "não teve relações com ela *até* o menino nascer" (Mt 1.25). Nessa passagem, fica claro que, após o nascimento de Jesus, Maria e José tiveram relações normalmente, como qualquer casal unido em matrimônio.

Outra questão que foi criada a respeito de Maria é a sua assunção ao céu. Essa doutrina recente, datada do século 20, alega que ela teria sido assunta corporalmente aos céus. Mais uma alegação sem nenhuma base bíblica.

Há, ainda, a doutrina da mediação de Maria entre Deus e os homens. É comum vermos adesivos no vidro dos carros, dizendo *Peça à mãe que o Filho atende*, ou *Tudo por Jesus, nada sem Maria.* Assim, a ICAR elevou Maria à condição de medianeira, intercessora. O resultado prático é que a adoração a Maria dentro do catolicismo ultrapassa a de Jesus. Ela é muito adorada no meio católico. Segundo a posição da ICAR, houve várias manifestações de Maria ao longo da história: Guadalupe (México), Aparecida (Brasil), Fátima (Portugal) e outros, o que levou à criação de santuários enormes dedicados a Maria pelo mundo afora.

Nada disso tem qualquer fundamentação bíblica! De acordo com a Bíblia, Maria foi a mãe de Jesus. Judia dedicada, consagrada, temente a Deus, que acatou a vontade divina para sua vida e cuidou com muito amor de seu filho. Ela mesma não entendeu durante muito tempo quem era Jesus e a missão que Deus lhe tinha reservado. Tanto é que, em determinada ocasião, acompanhada dos demais irmãos de Jesus, ela tentou tirá-lo da ação ministerial que executava para levá-lo para casa (Mc 3.31-35). Em outra ocasião, ela tentou levá-lo a fazer o primeiro milagre ao afirmar que faltava vinho nas bodas de Caná (Jo 2.1-11).

Depois da morte e ressurreição de Cristo, Atos não nos relata mais nada a respeito de Maria, senão que ela também estava presente no dia de Pentecostes. Nessa oportunidade, o Espírito Santo veio sobre parte da Igreja reunida (At 1.13-14). Vale observar que, ainda que Atos relate os primeiros e difíceis passos da Igreja que nascia, não faz nenhuma menção a Maria.

Ela certamente não recebia veneração ou adoração, pois sempre soube qual era o seu lugar.

O fato de que o catolicismo romano tenha dado a Maria um *status* que ela não tem na Bíblia leva, às vezes, evangélicos que prezam muito o ensino bíblico a nem mencionar o nome de Maria ou até mesmo a agredir a figura dessa serva de Deus. Penso que isso seja um extremo deplorável, que não deve acontecer de maneira alguma. Chega a ser desrespeitoso com a memória dessa fiel serva do Senhor, uma pessoa que é exemplo para todos os crentes.

Maria sempre será exemplo para jovens mães que querem cuidar com amor de seus filhos, ensinando-os no temor do Senhor. Nós não devemos, por causa dos abusos que são cometidos com o nome de Maria, deixar de pregar sobre essa grande serva, ensinar sobre sua vida e tomá-la como um bom exemplo de mãe. E nunca nos esqueçamos: "Há um só Deus e um só Mediador entre Deus e a humanidade: o homem Cristo Jesus" (1Tm 2.5).

ANJOS DA GUARDA EXISTEM?

Se fizermos uma pesquisa num *browser* de busca na Internet, encontraremos mais de 500 mil páginas tratando do assunto, inclusive muitas que o ajudam a descobrir o nome do seu suposto "anjo da guarda". Há pessoas que conversam com seu "anjo da guarda", citam salmos bíblicos para prestar culto a eles e os invocam diariamente, dentre outras práticas. Essa realidade nos leva a questionar: existem mesmo anjos da guarda? Como a Bíblia encara esse tema?

O que as pessoas entendem quando mencionam anjos da guarda é que Deus designou um anjo determinado para cuidar de um indivíduo específico. Essa proteção seria feita, então, por meio de contato e diálogo direto da pessoa com o anjo. Essa, porém, é mais uma superstição popular. Há pessoas, até mesmo no meio evangélico, que dão importância indevida aos anjos, muito embora toda superstição e misticismo dessa natureza seja mais comum em outras religiões. Tais práticas não encontram respaldo na Bíblia.

Para sermos claros, a Escritura sagrada fala sobre anjos. Eles são criaturas racionais, seres morais, mais poderosos que o homem, invisíveis, que foram criados para o serviço de Deus ao exercer papel de agentes, emissários, enviados para determinada missão em meio aos homens. Encontramos diversos exemplos na narrativa bíblica, tanto no Antigo Testamento quanto no Novo Testamento, de anjos que levam mensagens do Senhor, orientam o povo de Deus e o protegem em momentos de crise. Eles têm como objetivo ministrar ou servir aqueles que herdarão a salvação, conforme nos explica o primeiro capítulo de Hebreus.

A Bíblia nos fala, ainda, de anjos caídos. São anjos que, numa época não especificada, provavelmente antes da criação da humanidade e do mundo, se rebelaram contra Deus por arrogância, orgulho, vaidade. Ezequiel 28 e Isaías 14 fazem referência à rebelião dos anjos contra o Senhor, que os puniu expulsando-os de sua presença. Essa é a origem de Satanás e dos demônios.

Com a criação da humanidade, anjos e demônios passaram a influenciar os homens. Enquanto os anjos de Deus são enviados para nos ajudar, os anjos caídos, liderados por Satanás, têm como missão nos tentar, oprimir, destruir, confundir e separar da comunhão com Deus. A Bíblia nos adverte em diversas passagens que não procuremos contato com os anjos, que não prestemos adoração a anjos nem lhes prestemos culto.

No Novo Testamento não encontramos nenhuma orientação para que busquemos contato com os anjos. Pelo contrário, somos advertidos de que devemos ter cuidado com essas manifestações. O apóstolo Paulo escreveu: "Que seja amaldiçoado qualquer um, incluindo nós, ou mesmo um anjo do céu, que anunciar boas-novas diferentes das que nós lhes anunciamos" (Gl 1.8). Portanto, devemos estar alertas.

Paulo também nos informa que Satanás se transfigura em anjo de luz. Ou seja, com o objetivo de nos enganar, o diabo pode se manifestar com aparência de anjo. Daí, então, fica claro que ele pode usar esse artifício para enganar as pessoas, fazendo-as tomar atitudes contrárias a Deus e à sua Palavra. Por essa razão, quando vejo a enorme quantidade de literatura a respeito de anjos da guarda que existe disponível nas livrarias, percebo como esse erro quanto aos anjos e sua natureza é disseminado.

Há passagens no Novo Testamento que precisam ser bem explicadas, para evitar equívocos com relação aos anjos. Em certa ocasião, Jesus disse: "Tomem cuidado para não desprezar nenhum destes pequeninos. Pois eu lhes digo que, no céu, os anjos deles estão sempre na presença de meu Pai celestial. E o Filho do Homem veio para salvar os que estão perdidos" (Mt 18.10). Há quem alegue que os pequeninos citados nessa passagem são as crianças e que os anjos mencionados são seus anjos da guarda, protetores individuais de tais crianças.

A verdade é que essa passagem não diz que cada criança tem um anjo da guarda. O que ela nos diz é que Deus envia seus anjos para que cuidem de seu povo, os "pequeninos" referidos no texto citado. Esse termo, "pequeninos", é usado por Jesus nos evangelhos para se referir ao seu povo. Por exemplo, em Mateus 10.42; 18.06 e em Marcos 9.42. Essa passagem, interpretada corretamente, está dentro do ensino geral do Novo Testamento, que nos informa que os anjos são enviados por Deus para cuidar de seus filhos (Hb 1.14).

Minha preocupação com essa doutrina de anjos da guarda é que as pessoas acabam se desviando do evangelho da graça. Em vez de procurar orientação, direção e proteção diretamente por meio de Jesus Cristo, terminam por buscar auxílio em quem não temos autorização bíblica de invocar. Tais indivíduos acabam acreditando que os anjos possuem missão de conversar, ministrar-lhes pessoalmente, e coisas assim.

A Bíblia nos alerta com relação ao contato com anjos. O nosso contato deve ser com Deus Pai, mediante Jesus Cristo. O que passa disso é perigoso e abre precedentes para que o coração atenda aos desejos de demônios que se passam por anjos.

Se há anjos nos protegendo, é algo que ocorre no mundo espiritual, de maneira que não nos é acessível. Não devemos tentar estabelecer contato com esses seres, servos de Deus, porque, ao fazê-lo, podemos estar nos abrindo para as palavras de um demônio que estará se valendo desse engano para nos confundir e desviar-nos da divina verdade.

OBJETOS PODEM TRAZER BÊNÇÃOS E MALDIÇÕES?

Virou moda ungir objetos para que eles possam, supostamente, levar bênçãos à casa das pessoas que os possuem. Se fosse possível um objeto possuir propriedades abençoadoras, também teríamos de crer que outros objetos teriam a possibilidade de levar maldições. Muitos líderes religiosos, de diversas seitas, inclusive ditas evangélicas, fazem fortuna com a difusão de tais crenças.

Esse assunto é, na verdade, muito antigo. Começa com a divulgação e a venda pela Igreja Católica Apostólica Romana (ICAR) das chamadas relíquias, ainda na Idade Média. Pedaços daquilo que seria "a cruz de Cristo", frascos de "leite da virgem Maria", restos de "túmulos onde se enterraram santos"... enfim, a ICAR criou nas pessoas um gosto por objetos considerados sagrados. A própria cruz tem, no imaginário católico romano, um valor quase místico, com fiéis que a penduram no pescoço por crer que ela lhes proporciona algum tipo de proteção.

Toda essa ideia pavimentou o caminho para a crença de que objetos podem trazer bênçãos e maldições. No entanto, o evangelho puro e simples é despido de representações, senão pelos símbolos mencionados por Jesus Cristo: a água do batismo, o pão (que representa o corpo de Cristo) e o vinho (que representa o sangue de Cristo). À parte desses elementos, não temos símbolos. E, ainda assim, a água do batismo, por exemplo, não tem nenhum poder especial. Tais doutrinas são exclusivas do catolicismo, mas não há nada que as justifique à luz da Bíblia.

Hoje, infelizmente, temos pastores de seitas neopentecostais que instruem membros de sua igreja a colocar copo d'água em cima da televisão, por exemplo, para que o líquido seja bebido depois de uma oração. Por mais que se diga tratar-se de um símbolo, incute superstição. Passa a ideia de que aquele copo d'água, agora abençoado com "oração poderosa", trará bênçãos para quem bebê-la.

Esse sentimento católico supersticioso nas massas brasileiras facilita o avanço de seitas neopentecostais que vendem objetos ungidos, negociam coisas que foram tocadas pelo pastor — como toalhas com suor, sal grosso, flores, cajados... Enfim, é muita criatividade. A lista é infindável. Nessa linha, aqueles que defendem tais práticas místicas e extrabíblicas utilizam para isso textos bíblicos descontextualizados. Vejamos algumas dessas passagens.

Por exemplo, aventais e lenços usados por Paulo para curar moléstias e expulsar demônios em Éfeso. É preciso salientar que esse acontecimento é o único que temos registrado no Novo Testamento. Fez parte dos "milagres extraordinários" que o Senhor realizou na cidade pelas mãos de seu apóstolo (At 19.11-12).

Provavelmente, devemos interpretar tal evento da mesma forma como interpretamos os relatos do Antigo Testamento sobre o manto de Elias (2Rs 2.8,14) e o bordão e a sepultura de Eliseu (2Rs 4.29; 13.20-21). Essas coisas foram veículos materiais do poder miraculoso desses profetas. Elias e Eliseu ministraram a palavra de Deus em tempos difíceis e seu ministério consistia basicamente na denúncia do crescente culto a Baal no meio do povo de Deus. Era uma luta entre os profetas de Javé e os de Baal. O propósito das narrativas acerca do poder que havia em alguns de seus objetos foi mostrar o extraordinário poder de Deus em sua vida, comprovando que a sua mensagem contra a idolatria de Israel vinha realmente da parte do único Deus verdadeiro.

A verdade é que esse poder era tão grande que até as coisas com as quais Elias e Eliseu tinham contato diário ficavam impregnadas dele. Da mesma forma, até as vestes de Jesus tinham poder curador (Lc 8.43-46), bem como a sombra de Pedro (At 5.15). Em todos esses casos, o objetivo é sempre o mesmo: atestar que a mensagem pregada por eles vinha de Deus. A prova eram os poderes miraculosos extraordinários. Acredito que é dessa forma que devemos entender o relato de Atos 19 sobre o poder curador dos lenços e aventais de Paulo.

Evidentemente, essas passagens não servem como prova de que, hoje, as igrejas evangélicas podem ungir objetos e usá-los para expelir demônios, proteger seus possuidores contra forças negativas e curar moléstias. Tais apetrechos não são canais de bênçãos. Quem abençoa é Deus, que o faz em resposta à fé e à submissão da pessoa à divina vontade. Às vezes, nem isso é exigido da pessoa, pois, se ele quiser, Deus abençoa apesar do que o indivíduo pensa ou quer.

Em relação a objetos que produzem ou conduzem maldição, o princípio é o mesmo. A Bíblia fala dos demônios e de seus desejos de destruição; que eles são capazes de influenciar a alma e a personalidade humana e até de possuir pessoas (Mt 16.23). Os demônios são capazes de entrar até mesmo em animais (Mc 5.1-20). Mas não há referências de demônios entrando em objetos para demonizá-los ou emprestar-lhes qualquer tipo de poder maligno, maléfico ou destruidor. Não há como demonstrar biblicamente que um objeto está amaldiçoado.

O que muitos fazem é associar objetos usados em práticas de ocultismo à presença de demônios neles. Assim, determinadas imagens que são utilizadas na prática da bruxaria e no ocultismo, como cartas ou talismãs, são frequentemente apontadas como depositárias de algum tipo de maldição para quem as tiver em casa. Por essa razão, o fiel recebe a recomendação de achar tal objeto em casa e destruí-lo, para quebrar a maldição. A realidade é que não há um só motivo bíblico para que assim se creia. Não há nada nas Escrituras que embase essa crença.

Claro, não terei em minha casa uma imagem de "preto velho" ou algo do gênero, não porque tal imagem esteja impregnada de demônios que destruirão meu lar, mas porque se trata de um símbolo de uma religião que eu não professo. Essa imagem não traz nenhuma honra e glória a Deus. Também não quero confundir meus amigos e irmãos de fé que possam me visitar em casa.

Essa questão de quebra de maldição trazida por objetos é parte integrante do misticismo brasileiro, trazido pelo catolicismo romano. Somente isso explica a força desse comércio, que existe até os dias de hoje.

Algumas igrejas evangélicas fazem abordagens dessa natureza por conta do sincretismo que domina certas igrejas neopentecostais. Tais instituições são, na verdade, fruto de sincretismo religioso e não evangélicas no sentido histórico, pois misturam elementos do evangelicalismo com outros do catolicismo, da umbanda e de religiões indígenas, por exemplo.

Assim, os líderes dessas seitas fazem um amálgama de todas essas doutrinas segundo conveniências pessoais.

Por isso pessoas que lideram ou frequentam tais ambientes mencionam o nome de Jesus Cristo e de seu evangelho, mas também praticam rituais que mais lembram religiões de origem africana, por exemplo. Libertação, descarrego, uso de objetos ungidos para levar bênção para a pessoa e outras práticas do gênero estão presentes nessas religiões afrobrasileiras, com viés ocultista, o que não tem relação com as raízes bíblicas.

Tal é o estado de coisas que, no final, é impossível reconhecer igrejas neopentecostais como a Igreja Universal do Reino de Deus, a Igreja Internacional da Graça de Deus e a Igreja Mundial do Poder de Deus como cristãs. A Igreja Presbiteriana do Brasil tem uma posição clara quanto a isso: nós não reconhecemos as igrejas que adotam tais práticas sincréticas como igrejas irmãs.

REENCARNAÇÃO É COMPATÍVEL COM O CRISTIANISMO?

Os defensores da doutrina da reencarnação dizem que as pessoas estão em um ciclo constante de morte e renascimento, em situação melhor ou pior, dependendo de como viveram suas vidas anteriores. Muitos acham que essa é a razão de alguns nascerem com defeitos físicos: seria uma espécie de purificação, por conta de uma vida anterior não muito nobre. E, assim, o ciclo se repetiria pela eternidade, até que aquele espírito alcançasse um estado de "iluminação".

A ideia da reencarnação é muito antiga. O historiador grego Heródoto, por exemplo, atribuiu aos egípcios a ideia. A reencarnação enquanto doutrina religiosa-filosófica é encontrada em uma grande variedade de sistemas religiosos. Religiões orientais, da Nova Era e até mesmo alguns ramos que se consideram cristãos creem na possibilidade das vidas múltiplas.

Basicamente a doutrina da reencarnação diz que o espírito sobrevive, no todo ou em parte, retornando a uma vida terrena (neste ou em outros mundos) para prosseguir em sua jornada encarnando e desencarnando, sucessivamente. Há grandes variações de um ramo para outro das religiões reencarnacionistas, mas a ideia central entre todos esses grupos é a de que o espírito é imortal e somente adquire novas formas, mudando apenas o "casulo". Por vezes, a concepção de como se dá a reencarnação é contraditória entre um sistema religioso-filosófico e outro, haja vista a vastidão de povos e culturas ao longo da história que remodelaram a doutrina.

Pensando em termos cristãos, há o espiritismo kardecista, que é relativamente recente e traz a ideia da reencarnação com o argumento de que a Bíblia a fundamenta. Dizem seus adeptos que nos primeiros seis séculos do cristianismo, os pais da Igreja, especialmente Orígenes, falavam a respeito da reencarnação e, somente depois de um determinado concílio é que essa doutrina passou a ser banida como herética.

A realidade é que não há comprovação histórica para isso. Os teólogos apologistas cristãos insistem que na documentação dos concílios e nos registros dos pais da Igreja a doutrina da reencarnação é sempre vista como herética. E o fato de que Orígenes pudesse ter pensado nisso não quer dizer nada, haja vista que esse pai da Igreja chegou a pensar que até mesmo Satanás seria salvo. Não só Orígenes, como também outros pais da Igreja, cometeram erros doutrinários. Afinal, quem nunca cometeu erro no que afirmou foram somente os escritores da Bíblia.

Os espíritas usam algumas passagens das Escrituras para tentar encontrar fundamentação bíblica para a doutrina da reencarnação. Vou mencionar apenas duas. A primeira é aquela em que Jesus menciona João Batista referindo-se a ele como o profeta Elias. "Pois, antes de João vir, todos os profetas e a lei de Moisés falavam dos dias de João com grande expectativa, e, se vocês estiverem dispostos a aceitar o que eu digo, ele é Elias, aquele que os profetas disseram que viria" (Mt 11.13-14).

A quem Jesus está se referindo? No final do livro do profeta Malaquias, o último do Antigo Testamento, há uma profecia que diz assim: "Vejam, eu lhes envio o profeta Elias antes da vinda do grande e terrível dia do Senhor" (Ml 4.5). Ocorre que Elias já havia sido arrebatado aos céus em um carro de fogo havia bastante tempo, mas agora havia uma profecia afirmando que ele haveria de voltar. Quando João Batista aparece pregando o evangelho, Jesus diz que João era o cumprimento da promessa registrada no livro de Malaquias. Ou seja, a profecia que dizia que Elias haveria de voltar antes da chegada do grande e temível dia do Senhor estava se cumprindo no ministério de João Batista.

Os espíritas defendem que João Batista é a reencarnação de Elias. Mas isso não pode ser, por três motivos: primeiro, Elias não morreu. De acordo com o registro do Antigo Testamento, ele foi levado aos céus por um redemoinho após ser alçado por uma carruagem de fogo (2Rs 2.11). Ora, se o espírito de alguém morto volta em outro corpo, então João Batista não pode ser a reencarnação de Elias porque ele não morreu. Segundo, o que Jesus quis dizer é que o ministério de João Batista era similar ao de Elias. Veja: Elias foi um reformador que chamou o povo de Israel ao arrependimento. João Batista fez o mesmo. Qual é a pregação de João Batista? "Arrependamse, pois o reino dos céus está próximo" (Mt 3.2). Terceiro, na transfiguração de Jesus, quem aparece ao seu lado são Elias e Moisés (Mt 17.1-3). Se Elias tivesse voltado na pessoa de João Batista, ele não teria aparecido ali.

Outra passagem que o espiritismo usa para defender a reencarnação é aquela em que Jesus diz ao rabino Nicodemos: "Eu lhe digo a verdade: quem não nascer de novo, não verá o reino de Deus" (Jo 3.3). Os kardecistas argumentam que esse novo nascimento significaria a volta à vida em um novo corpo. Essa interpretação é incorreta. Claramente Jesus estava se referindo ao novo nascimento espiritual. Ou seja, aquilo que chamamos comumente de conversão. A prova disso é que nos versículos seguintes Jesus diz assim: "Eu lhe digo a verdade: ninguém pode entrar no reino de Deus sem nascer da água e do Espírito" (Jo 3.5). Água representa a Palavra de Deus e o Espírito é aquele que vai usar a Palavra para a transformação interior. O novo nascimento não é nascer fisicamente uma segunda vez, mas um renascimento espiritual, uma conversão mediante arrependimento e mudança de vida.

Enfim, esses argumentos não servem como fundamento para a doutrina da reencarnação. O que nos leva à pergunta: se a reencarnação é apenas um mito, o que a Bíblia diz sobre o que ocorre de fato depois da morte? A Palavra de Deus deixa claro que depois da morte segue-se o juízo: "cada pessoa está destinada a morrer uma só vez, e depois disso vem o julgamento" (Hb 9.27). Portanto, depois desta vida o caminho é céu ou inferno.

Na mesma linha está a história do rico e de Lázaro. Jesus relata que os dois morreram, sendo que um foi para o céu e o outro para o inferno. O rico, vendo o céu, queria que Lázaro recebesse autorização de ir para a casa de seus irmãos, ainda vivos, a fim de pregar-lhes o evangelho, para que não fossem para o inferno, lugar de eterno tormento (Lc 16.19-31). Mas, então, Jesus explica que é impossível para aqueles que já morreram voltar à terra para cumprir alguma missão.

Ainda segundo esse pensamento está o que Jesus disse ao ladrão da cruz. Eles estavam para morrer dali a alguns minutos, quando Jesus diz ao criminoso: "Eu lhe asseguro que hoje você estará comigo no paraíso" (Lc 23.43). Aquele ladrão, que reconheceu o senhorio de Cristo em seus instantes finais sobre a terra, recebeu a promessa de um destino final certo. Não há nenhuma menção de que ele ficaria em algum lugar esperando para reencarnar em algum corpo.

Depois da morte segue-se o julgamento. Onde toda pessoa passará a eternidade é definido aqui e agora. Se você se arrepender de seus pecados e crer no Senhor Jesus como seu Senhor e Salvador, tem o perdão de pecados e a vida eterna concedidos pela graça e a misericórdia de Deus. Depois da morte, sua alma se encontrará com o Senhor Jesus para vida e gozo eternos. Mas, se você recusa Cristo como seu Salvador e insiste em viver em pecados, o que o aguarda é o pagamento de seus pecados mediante sofrimento eterno no local que a Bíblia chama de inferno.

TODOS SERÃO SALVOS?

O universalismo é a teoria que advoga a ideia de que, no fim dos tempos, todos serão salvos da condenação eterna. Isto é, todas as pessoas que passaram pela terra, em todas as épocas desde o início da humanidade, sem distinção, viveriam eternamente no céu com Deus. Que defensores de outras religiões que não o cristianismo creiam nisso não é novidade; o problema é quando pastores evangélicos passam a ensinar o universalismo como se fosse uma doutrina bíblica.

Primeiro, os argumentos dos defensores do universalismo se baseiam no fato bíblico de que "Deus é amor" (1Jo 4.8) e que isso o impediria de condenar eternamente ao inferno o ser humano que ele mesmo criou para sua glória.

Segundo, os adeptos dessa doutrina afirmam que Cristo teria morrido pelo mundo, por todos os bilhões de habitantes da terra, e, por essa razão, todos seriam salvos e ninguém seria condenado ao inferno. Afinal, dizem, não é justo que Cristo pague o pecado de alguém na cruz e esse alguém vá, após a morte, pagar outra vez pela mesma condenação.

Terceiro, essa teoria argumenta que é injusto Deus condenar ao inferno todos aqueles que não ouviram falar de Cristo. Os cristãos significam apenas uma parcela da população mundial. Se no mundo há atualmente mais de 7 bilhões de pessoas, metade delas, provavelmente, nunca ouviu falar de Jesus. Como Deus as condenará se nunca tiveram a oportunidade de ouvir sobre Cristo e sua obra salvadora?

Assim, com base nesses três argumentos, os universalistas acreditam que todos no final serão salvos. As respostas que apresentamos a essas argumentações são as seguintes:

Primeiro, Deus é amor, é verdade. Mas amor é um dos atributos de Deus. Não é correto isolar um atributo de Deus dos demais. A Bíblia não diz somente que Deus é amor, mas também que ele é justo (Jr 23.6; Sl 71.15), verdadeiro (Jo 14.6) e santo (Is 6.3); que ele aborrece o pecado (Rm 11.22; Sl 5.4-6); que ele não trata o inocente como culpado e o culpado como inocente (Na 1.3) e que ele retribui a cada um segundo suas obras (Is 59.18; Rm 2.6-7).

Portanto, dizer que Deus é amor e, em cima disso, construir uma teologia que ignora seus outros atributos é no mínimo falacioso. Está errado. O amor de forma alguma anula a justiça de Deus. E nós não podemos sujeitar os demais atributos ou qualidades de Deus, como verdade e santidade, ao amor. Faríamos, assim, um deus desequilibrado. O que há de belo e sublime em Deus é que esses atributos coexistem no Senhor em perfeito equilíbrio.

Segundo, a Bíblia diz que Jesus morreu pelo mundo. Contudo, outras passagens afirmam que essa morte é eficaz somente para aqueles que são de Deus. Cristo deu sua vida pelo seu povo. Ele mesmo disse: "Eu sou o bom pastor. O bom pastor sacrifica sua vida pelas ovelhas" (Jo 10.11). Cristo morreu pelo mundo no sentido de que há poder em Cristo para salvar o mundo inteiro, se todos se arrependessem de seus pecados e se convertessem de seus maus caminhos. Mas o sacrifício de Cristo é eficaz tão somente para aqueles que se arrependem de seus pecados e creem no Senhor Jesus como Senhor e Salvador. Esses são os que constituem o povo de Deus, por quem Cristo morreu e que Deus conhece antes da fundação do mundo. A esses nós chamamos de eleitos, os chamados por Deus para si desde antes do início da criação do mundo. Portanto, Jesus Cristo morreu eficazmente por suas ovelhas, por seu povo. E, nesse sentido, nenhuma gota do sangue de Cristo terá sido derramada em vão.

Todos aqueles por quem Cristo eficazmente morreu serão chamados pelo Espírito Santo, se arrependerão de seus pecados, crerão, receberão a justificação e depois serão chamados para a vida eterna com Deus. Todos os demais serão entregues à sua própria culpa e condenados, com toda a justiça, em decorrência de seus pecados.

Um texto citado frequentemente pelos universalistas é: "Isso é bom e agrada a Deus, nosso Salvador, cujo desejo é que todos sejam salvos e conheçam a verdade" (1Tm 2.3-4). A questão é que precisamos ver o que a palavra "todos" significa no contexto. Examinando o que Paulo vem afirmando desde o primeiro versículo, "todos" nessa passagem se refere aos "reis e [...] todos que exercem autoridade". Como devemos fazer no entendimento de qualquer trecho das Escrituras, precisamos compreender cada palavra à luz de seu contexto. No caso, "todos" nem sempre é uma referência a cada pessoa que existiu, que existe ou que existirá sobre a terra.

Terceiro, sobre os que nunca ouviram a mensagem do evangelho de Cristo, a resposta está nas próprias palavras do apóstolo Paulo, quando ele afirma que não há ninguém indesculpável diante de Deus:

> Assim, Deus mostra do céu sua ira contra todos que são pecadores e perversos, que por sua maldade impedem que a verdade seja conhecida. Sabem a verdade a respeito de Deus, pois ele a tornou evidente. Por meio de tudo que ele fez desde a criação do mundo, podem perceber claramente seus atributos invisíveis: seu poder eterno e sua natureza divina. Portanto, não têm desculpa alguma.
>
> Romanos 1.18-20

Paulo esclarece que as belíssimas obras da criação refletem a santidade de Deus e sua deidade, refletem seu eterno poder e, como resultado, as pessoas que vivem nas florestas, nos desertos, nos rincões mais longínquos e inalcançáveis têm a revelação de Deus ao seu redor. A glória de Deus brilha na natureza. O conhecimento e o reconhecimento de um Deus criador e todo-poderoso está disponível a todos a ponto de o apóstolo Paulo dizer que essas pessoas não têm desculpa alguma.

Claro, no dia do julgamento, Deus não julgará tais pessoas usando perguntas do tipo: "Por que você não creu em Cristo?". A pessoa simplesmente perguntaria de volta: "Quem?". Mas a pergunta será, acredito eu, algo como: "Por que você me rejeitou e adorou a criatura em lugar do Criador, quando revelei claramente, por meio das coisas criadas, que só há um Deus? Você não sabia que só há um Deus e que esse Deus não é a natureza, mas que a natureza foi criada por mim?".

Essa é a base pela qual Deus os julgará. E certamente nenhum deles escapará do julgamento. Pois todas as religiões pagãs, sem conhecimento e reconhecimento de Deus, são idólatras. Adoram a natureza, adoram o próprio homem, os animais, os astros e outros elementos da criação.

Ninguém que é citado na Bíblia falou mais sobre o inferno do que Jesus Cristo. Ele comparou o inferno a um lugar onde os vermes nunca morrem e o fogo nunca se apaga (Mc 9.47-48), disse que é melhor entrar no céu aleijado do que entrar no inferno são de corpo (Mt 5.29) e advertiu que no dia do julgamento ele lançará no inferno todos aqueles que rejeitaram a Deus (Sl 9.17). Portanto, não podemos nos deixar iludir, pensando que no final todos serão salvos. Há uma condenação, mas, pela fé em Jesus Cristo, podemos escapar dela.

TEOLOGIA LIBERAL É CRISTIANISMO?

O liberalismo teológico advoga que a razão é a fonte de conhecimento do homem. Assim, a teologia liberal considera nossa racionalidade a autoridade final sobre temas relacionados a fé, a religião. E isso é um erro. Precisamos, portanto, identificar e refutar o pensamento teológico liberal, porque, diferente do pentecostalismo clássico, que é uma expressão legítima do cristianismo, o liberalismo é, na verdade, outra religião.

Os liberais não aceitam a Bíblia como a Palavra de Deus, insistem que ela está cheia de erros e contradições, negam que Jesus era verdadeiro Deus, alegam que ele era um sábio iluminado que tinha proximidade com Deus mas não era Deus, não creem que Jesus ressuscitou literalmente dos mortos ao terceiro dia, não acreditam que Jesus subiu aos céus e muito menos que voltará para julgar os vivos e os mortos, entre outras heresias.

No pensamento da teologia liberal, Jesus não morreu na cruz para nos salvar de nossos pecados, mas apenas para nos dar exemplo de que devemos renunciar a nós mesmos para obedecer a Deus. Os adeptos dessa religião são universalistas, pois creem que no final todos serão salvos.

Os liberais estão infiltrados nas igrejas, em especial nas denominações históricas. Muitos não têm coragem de dizer tais crenças em público. Outro destilam tais ideias erradas em pequenos grupos, ou em escritos. Alguns são professores de seminários e boa parte deles ministra aulas em universidades públicas, reconhecidas pelo Ministério da Educação.

Na Europa, onde a teologia liberal teve início no século 17, crescendo muito no século 18, as faculdades tradicionais, que possuíam excelentes currículos teológicos, passaram a formar pastores liberais que não criam mais na Bíblia. Tais pastores pregaram por muito tempo suas crenças nas igrejas por eles pastoreadas. A invasão do liberalismo nas igrejas da Europa, juntamente com a chegada da secularização materialista, resultou em igrejas cristãs vazias. A cada ano, mais e mais igrejas são fechadas em toda a Europa. O número de pessoas que se declaram cristãs no continente europeu cai a cada ano.

Podemos dizer que a Europa, que tanto evangelizou o mundo, hoje é uma imensa região a ser evangelizada. Trata-se de um continente pós-cristão. Um dos grandes fatores de falecimento de uma fé antes robusta no continente é justamente a teologia liberal. O que essa teologia tem a oferecer a uma pessoa que se sente angustiada, oprimida, esgotada com situações da vida? O que um cristo que não ressuscitou dos mortos, um deus que não perdoa pecados porque não há pecados a serem perdoados, um "Jesus" que não retornará a fim de nos levar para morar com ele na eterna felicidade e uma Bíblia em que não se pode crer por estar cheia de erros podem nos trazer de proveitoso? Qual é a diferença entre uma filosofia como essa e o que é discutido em um clube de filosofia?

O liberalismo teológico também foi para os Estados Unidos. As contendas no país se deram no início do século 20 entre pastores liberais e pastores fundamentalistas, na maior parte presbiterianos e batistas. Desses confrontos, surgiram os cinco pontos inegociáveis, elaborados pelos pastores conservadores:

1. A Bíblia é inerrante.
2. Os milagres narrados na Bíblia aconteceram de forma literal, como se lê.
3. Cristo morreu por nossos pecados.
4. Cristo ressuscitou, literalmente, ao terceiro dia.
5. Cristo voltará, literalmente, para julgar os vivos e os mortos.

Quem não abraçasse esses cinco pontos não poderia ser considerado cristão. A partir daí, houve divisões em várias igrejas protestantes dos Estados Unidos. O seminário presbiteriano de Princeton, onde estudaram grandes homens de Deus, como o missionário Simonton, acabou sendo invadido pelos liberais. Saiu de lá um grupo de pessoas com sólidas crenças bíblico-cristãs, que fundaram o Seminário de Westminster, onde tive o privilégio de estudar.

Hoje, as igrejas que adotaram a visão liberal, como a própria Igreja Presbiteriana dos Estados Unidos, aparecem frequentemente na mídia ordenando homossexuais ao pastorado e defendendo outras bandeiras contrárias às da Palavra de Deus. Desde os anos 1950, os laços fraternos que nos uniam à Igreja Presbiteriana dos Estados Unidos foram rompidos em razão de essa denominação americana ter abraçado o liberalismo teológico.

TEÍSMO ABERTO (OU TEOLOGIA RELACIONAL) É CRISTIANISMO?

O teísmo aberto, também conhecido como teologia relacional, procura tentar explicar como Deus age em relação à presumida capacidade humana de escolher livremente o bem e o mal. Os proponentes desse tipo de pensamento alegam que certos fatos que ocorrem em nossa vida estão fora do controle de Deus, sendo ele impotente para agir nessas situações, o que é uma afirmação perigosíssima.

Os teístas abertos dizem que Deus não é onisciente, ou seja, que ele não conhece o futuro porque o futuro ainda não aconteceu. Deus só conheceria aquilo que acontece no presente. Assim, segundo esse pensamento, em seu relacionamento com o ser humano, ele teria se limitado. O Senhor teria aberto mão de sua onipotência, de sua capacidade de fazer e ter tudo o que ele quer, a fim de manter um relacionamento significativo com a humanidade.

Os teólogos adeptos dessa doutrina estão tentando dar uma resposta à seguinte questão: se o homem é livre, se tem o livre-arbítrio irrestrito, Deus não pode ter determinado absolutamente nada. Porque, se Deus determinou algo, então esse algo já não é mais "aberto", mas é imutável e inflexível. Assim, defendem eles, como Deus não determinou nada, então o futuro está em aberto. Tudo pode acontecer. Quem decidirá o futuro é a raça humana, mediante suas decisões. Nesse sentido, Deus agirá juntamente com o homem, construindo, juntos, o futuro. Creem os teístas abertos que Deus vai se moldando às decisões humanas, alterando seu propósito e seu querer, de forma que o homem, junto com Deus, constrói seu futuro. Portanto, essa doutrina é assim chamada porque o futuro está em aberto.

Há um raciocínio curioso por trás dessa ideia: se Deus sabe o que vou fazer daqui a dez segundos, então não sou livre. Se Deus sabe que eu, ao entrar em certa sorveteria, escolherei um sorvete de açaí, então essa decisão já está fixa. Não é que Deus já determinou, ele sabe que essa será minha decisão. Assim, minha decisão não poderá mais ser alterada. O que os teístas abertos fizeram foi levar a doutrina do livre-arbítrio e da liberdade do homem à sua consequência lógica. Porque se Deus sabe o que eu vou fazer, então eu não sou livre. Já que eles não querem negar o livre-arbítrio e a liberdade que o homem tem de dispor livremente de suas ações e de seu futuro, então preferiram esvaziar Deus de sua onisciência. Esse deus já não sabe o que eu farei. Ele poderá ser pego de surpresa com algumas de minhas decisões.

Os cristãos inseridos numa linha interpretativa estritamente comprometida com a Palavra de Deus — entre os quais me incluo — têm muitas dificuldades com esse pensamento. Digo isso porque quem se levantou contra essa perigosa ideia de que Deus não conhece o futuro não foram apenas os calvinistas, mas também os arminianos. Teólogos da Assembleia de Deus, da igreja Batista, da igreja Presbiteriana e de outros ramos da Igreja de Cristo fizeram uma ampla frente contra essa ideia. Tanto calvinistas quanto arminianos professam que Deus é onisciente, soberano, onipotente, todo-poderoso no céu e na terra. Nossas diferenças são em relação aos decretos de Deus.

Penso que o teísmo aberto insere os que o seguem fora do escopo do cristianismo. Trata-se de algo da mais séria gravidade. Dizer que Deus não sabe o futuro é negar frontalmente a revelação bíblica. O salmo 139, de autoria de Davi, diz que antes mesmo que ele nascesse os seus dias estavam todos contados. Deus o seguiu desde o ventre de sua mãe.

E mais, se Deus não conhece o futuro, o que são as profecias de Isaías, Ezequiel e Daniel? Elas descortinam para nós precisamente o que aconteceria no futuro. O que é o livro do Apocalipse? Como João pode falar acerca do surgimento futuro do reino do anticristo, sobre a segunda vinda de Cristo? Será tudo isso mito? O teísmo aberto esvazia a sacralidade bíblica e a transforma em mitologia humana. Seus pressupostos apontam para um Deus que fica jogando dados para saber se aquilo que ele desejaria que acontecesse de fato acontecerá.

Ao contrário do que se possa pensar, essa doutrina não é uma heresia nova. Já nos séculos 16 e 17, os chamados socinianos defendiam exatamente o mesmo. Essa ideia de que Deus desconhece o futuro fazia parte desse sistema teológico herético. O socianismo, essa heresia velha, ressurge na forma do teísmo aberto, requentado por teólogos modernos, chamados "teólogos relacionais". Eles são chamados assim porque creem que, para se relacionar conosco, Deus não pode ser capaz de nos manipular, de saber o que vamos fazer, muito menos de decretar o futuro. Eles dizem que isso faz mais justiça a Deus e que isso explica não só a realidade, mas também passagens bíblicas em que se lê que Deus se arrepende, muda de ideia e coisas semelhantes. É como se Deus fosse se ajustando às decisões humanas.

Evidentemente, quando a Bíblia diz que Deus se arrepende é tão somente uma maneira antropomórfica, antropopática, de se expressar. Isto é, uma forma de traduzir em linguagem humana uma decisão divina. É uma maneira de se expressar de forma que possamos entender em nossa linguagem. É o mesmo sentido de quando se diz que o "braço do Senhor não está encolhido" ou "os olhos de Deus estão em toda parte". Deus, que é espírito, não tem braço, Deus não tem olho.

Portanto, o teísmo aberto é uma heresia velha, perigosa, que diminui Deus, faz da Bíblia Sagrada apenas um livro cheio de mitos e invencionices humanas, põe o homem no centro do universo e despe Deus de sua onisciência e de seu governo soberano. Voltemos à Palavra sempre! O nosso Deus fez o céu e a terra e é todo-poderoso: onipotente, onisciente e onipresente.

DEVO GUARDAR O SÁBADO?

O quarto dos Dez Mandamentos determina a guarda do sábado. Então por que a maioria dos cristãos não lhe obedece? Jesus disse que veio para cumprir a lei (Mt 5.17), então que base existe para a desobediência a esse preceito? Vamos ler o mandamento, na íntegra:

> Lembre-se de guardar o sábado, fazendo dele um dia santo. Você tem seis dias na semana para fazer os trabalhos habituais, mas o sétimo dia é o sábado do SENHOR, seu Deus. Nesse dia, ninguém em sua casa fará trabalho algum: nem você, nem seus filhos e filhas, nem seus servos e servas, nem seus animais, nem os estrangeiros que vivem entre vocês. O Senhor fez os céus, a terra, o mar e tudo que neles há em seis dias; no sétimo dia, porém, descansou. Por isso o Senhor abençoou o sábado e fez dele um dia santo.
>
> Êxodo 20.8-11

Quando Jesus diz que veio cumprir a lei, isso significa que ele veio não só obedecer a seus mandamentos, mas também dar cumprimento, levar a lei à sua consumação. O quarto mandamento, sendo profético e simbólico para o descanso eterno que Deus nos dará, é cumprido na ressurreição de Cristo, no primeiro dia da semana, que é o domingo, como símbolo e promessa da vida eterna.

Nós não entendemos que estamos quebrando o quarto mandamento quando descansamos no domingo. O cerne do quarto mandamento é se lembrar do descanso que Deus nos dá. E entendemos que o sábado estava relacionado à lei cerimonial de Israel, sendo o domingo o pleno cumprimento da tipologia que estava imbuída no quarto mandamento. Afinal, Jesus ressurge no primeiro dia, esse é o descanso verdadeiro. O descanso que ele nos dá.

Preciso fazer uma observação importante. Não tenho dificuldades com queridos irmãos em Cristo que dizem preferir guardar o sábado, porque este é o dia que se deve guardar. O problema está, a meu ver, quando as pessoas vinculam a guarda do sábado à salvação, isto é, a guarda do sábado como requisito para ser salvo, como afirmam algumas linhas do adventismo clássico.

Colocar a guarda de dia determinado como condição para salvação é prática judaizante, isto é, objetiva a trazer para a fé cristã um elemento da fé judaica. É ir muito além do que diz o texto bíblico.

Deus de fato nos lembrou que deveríamos guardar o sábado, para fazer dele um dia santo. Esse conceito foi posteriormente desenvolvido em Israel. Os judeus costumavam descansar de suas obras no sábado; faziam convocações solenes, assembleias nas quais ouviam a Palavra de Deus. Isso se tornou de fato estatuto e norma em Israel. Com o passar do tempo, porém, o mandamento passou a ser deturpado. Especialmente na época do segundo templo, isto é, no período que contempla a destruição de Jerusalém e o retorno dos judeus para a região palestina, com a reconstrução do templo encabeçada por Esdras e Neemias (cerca de 650 a 700 a.C.). Esse período de retorno judaico a Jerusalém até a época de Jesus é chamado de período do segundo templo.

É nesse período que os fariseus se firmaram como liderança, exercendo domínio político-religioso em Israel. Eles acabaram fazendo adições à guarda do sábado, com base em perguntas como: "Se eu caminhar um quilômetro, estarei violando o mandamento?", "Se eu tiver de carregar um peso de dez quilos para algum lugar, estarei quebrando o mandamento?" ou "Posso cozinhar no dia de sábado?". Dessa forma, os fariseus elaboraram minudências para regular o mandamento, dando aplicabilidade prática a uma série de situações antes não previstas. A partir de então, surgiu uma legislação específica para o sábado, com detalhes que não eram contemplados na ordem simples do Senhor.

Esse é o cenário religioso na época do nascimento de Jesus. E logo ele foi confrontado pelos fariseus. Dentre outros pontos doutrinários que levaram Jesus e os fariseus ao desacordo, um deles foi a guarda do sábado. Primeiro, o Senhor curou no sábado, o que fez os fariseus o acusarem de quebrar o quarto mandamento. Foi quando Jesus lhes disse: "Se um de vocês tivesse uma ovelha e ela caísse num poço no sábado, não trabalharia para tirá-la de lá? Quanto mais vale uma pessoa que uma ovelha! Sim, a lei permite que se faça o bem no sábado" (Mt 12.11-12).

Em outro episódio, Jesus estava passando pelo meio de uma plantação de trigo com seus discípulos, que debulhavam espigas de cereais para comer. Foi quando os fariseus os confrontaram.

> Por aquele tempo, Jesus estava caminhando pelos campos de cereal, num sábado. Seus discípulos, sentindo fome, começaram

a colher espigas e comê-las. Alguns fariseus os viram e protestaram: "Veja, seus discípulos desobedecem à lei colhendo cereal no sábado!".

Jesus respondeu: "Vocês não leram nas Escrituras o que fez Davi quando ele e seus companheiros tiveram fome? Ele entrou na casa de Deus e, com seus companheiros, comeram os pães sagrados que só os sacerdotes tinham permissão de comer. E vocês não leram na lei de Moisés que os sacerdotes de serviço no templo podem trabalhar no sábado? Eu lhes digo: há alguém aqui maior que o templo! Vocês não teriam condenado meus discípulos inocentes se soubessem o significado das Escrituras: 'Quero que demonstrem misericórdia, e não que ofereçam sacrifícios'. Pois o Filho do Homem é senhor até mesmo do sábado".

Mateus 12.1-8

Por esses episódios, vemos que o sábado apontava para a vinda do Senhor. *Jesus é o descanso que o sábado prenunciava.*

E por que consideramos o domingo o dia de descanso? Jesus ressuscitou no domingo, o primeiro dia da semana (Mc 16.2-3). Posteriormente, ele apareceu duas vezes aos seus discípulos no domingo (Jo 20.1-19). Os apóstolos de Jesus já demonstravam a compreensão de que o sábado se cumpre na ressurreição de Cristo, tanto que Atos 20.7 registra uma fala de Lucas quando estava com Paulo e mais uma pequena comitiva: "No primeiro dia da semana, nos reunimos com os irmãos de lá para o partir do pão. Paulo começou a falar ao povo e, como pretendia embarcar no dia seguinte, continuou até a meia-noite". Ora, partir o pão era algo feito durante o culto, portanto os discípulos se reuniram para celebrar a morte e a ressurreição do Senhor Jesus no primeiro dia da semana, domingo.

Há um texto escrito por um historiador romano, inimigo dos cristãos, em que ele diz que os seguidores de Jesus eram pessoas que logo nas primeiras horas do primeiro dia da semana acordavam para entoar hinos ao Cristo ressurreto. Temos registro histórico de que os cristãos dos primeiros séculos se reuniam no domingo para adorar a Deus.

Além disso, em sua carta aos colossenses, Paulo diz: "Portanto, não deixem que ninguém os condene pelo que comem ou bebem, ou por não celebrarem certos dias santos, as cerimônias da lua nova ou os sábados. Pois essas coisas são apenas sombras da realidade futura, e o próprio Cristo é essa realidade" (Cl 2.16-17). Aqui Paulo se refere com total clareza ao sábado como sendo uma sombra de Cristo, algo que se remete simbolicamente ao que haveria de vir. Como Jesus veio ao mundo, já não é preciso sombra para me lembrar de algo que viria, pois temos nosso Senhor conosco. Não há mais simbolismo, o Salvador esperado aqui está, em meio aos seus. Eu descanso no dia em que Jesus entrou no seu descanso e em que os discípulos se reuniam para partir o pão em memória da obra salvadora de Jesus em nosso favor: o domingo.

Por fim, em Apocalipse, João diz: "Eu, João, irmão e companheiro de vocês no sofrimento, no reino e na perseverança para a qual Jesus nos chama, estava exilado na ilha de Patmos por pregar a palavra de Deus e testemunhar a respeito de Jesus. *Era o dia do Senhor*, e me vi tomado pelo Espírito" (Ap 1.9-10). O que é "o dia do Senhor"? Qual dia é o mais importante dentre aqueles em que Jesus esteve fisicamente aqui na terra? O domingo, dia em que ele ressuscita para ser nossa justificação e nossa esperança.

Algumas pessoas dizem que foi o imperador romano Constantino quem inventou o *dia dominus*, ou seja, o dia do Senhor. Não é verdade. Os cristãos já partiam o pão no domingo, já celebravam a vitória de Cristo no domingo. O que Constantino fez foi legalizar o que já era praticado por seguidores de Jesus. Portanto, obedecemos e guardamos, sim, o domingo, o dia do Senhor, segundo o mandamento.

5

ESCATOLOGIA

O REINO DE DEUS JÁ VEIO?

A palavra "escatologia" é derivada da palavra grega *eschatón*, que se refere ao estudo das últimas coisas. Ao contrário do que muitos pensam, "últimas coisas" não se refere somente a eventos futuros. Mas, de acordo com os ensinamentos do próprio Jesus, de Paulo, João e demais escritores bíblicos que trataram do tema, as "últimas coisas" ou os "últimos tempos", são uma alusão a uma época que já foi inaugurada com a vinda de Cristo, sua encarnação, morte e ressurreição.

Quando Jesus estava na terra, ele anunciou que o reino de Deus havia chegado, muito embora haja um aspecto futuro do reino, conforme Jesus nos ensinou a orar a oração do Pai-nosso, "Venha o teu reino" (Lc 11.2). Contudo, há um sentido muito claro na Bíblia de que o reino de Deus já chegou e, portanto, os últimos tempos já foram inaugurados.

No dia de Pentecostes, após a descida do Espírito Santo, Pedro toma a palavra para explicar o que havia acontecido. Ele cita uma profecia de Joel: "Então, depois que eu tiver feito essas coisas, derramarei meu Espírito sobre todo tipo de pessoa. Seus filhos e suas filhas profetizarão; os velhos terão sonhos, e os jovens terão visões" (Jl 2.28). Pedro cita essa profecia para se referir ao derramamento do Espírito Santo que havia ocorrido, mas, ao fazê-lo, ele troca a expressão "depois" por "nos últimos dias": "O que vocês estão vendo foi predito há tempos pelo profeta Joel: 'Nos últimos dias', disse Deus, 'derramarei meu Espírito sobre todo tipo de pessoa. Seus filhos e suas filhas profetizarão; os jovens terão visões, e os velhos terão sonhos" (At 2.16-17). Com isso, Pedro está dizendo que a profecia de Joel, concretizada no Pentecostes, inaugura os últimos dias.

O apóstolo João fala da "última hora" quando menciona os anticristos: "Filhinhos, chegou a hora final. Vocês ouviram que o anticristo está por vir, e muitos anticristos já apareceram. Por isso sabemos que chegou a hora final" (1Jo 2.18). Já em Paulo encontramos expressões como: "Essas coisas que aconteceram a eles nos servem como exemplo. Foram escritas como advertência para nós, que vivemos no fim dos tempos" (1Co 10.11).

Portanto, há toda uma consciência no Novo Testamento de que as últimas coisas, os últimos tempos, os últimos dias, o reino de Deus já foram inaugurados no dia de Pentecostes. Estamos vivendo os últimos dias, a última fase, a última etapa do plano de Deus aqui neste mundo há dois mil anos. Esse período será encerrado com a segunda vinda de Jesus Cristo. Assim, escatologia é o estudo da chegada do reino de Deus na pessoa de Jesus, passando pela vinda do Espírito Santo no dia de Pentecostes e encerrando-se na segunda vinda de Cristo — evento que encerrará a história deste mundo como o conhecemos.

A escatologia trata ainda dos eventos que ocorrem ou que ocorrerão durante o período mencionado. Por exemplo, a escatologia tem um ramo específico que trata da escatologia individual: o que ocorrerá no dia do juízo, o que ocorre quando morremos e temas correlatos. Mas, em geral, a escatologia trata desta questão mais ampla: o reino de Deus já chegou; Jesus Cristo está sentado no trono do Universo à direita de Deus Pai; ele já reina e governa; ele está agindo no mundo para trazer sua Igreja para viver com ele; e a próxima etapa será seu retorno a este mundo para julgar os vivos e os mortos. Os mortos ressuscitarão e comparecerão diante de Deus para o julgamento final, após o que, finalmente, viveremos em "os novos céus e a nova terra que ele prometeu, um mundo pleno de justiça" (2Pe 3.13).

Importante destacar que existem três teorias escatológicas principais no cristianismo. Há a visão *pré-milenista*, segundo a qual o reino de Deus não terminará com a vinda de Cristo, isto é, a volta do Senhor inaugurará o chamado "milênio", um reino de Cristo por mil anos, literal, aqui na terra. Outra visão, minoritária, é a *pós-milenista*, que defende a ideia de que o reino de Cristo, o "milênio", será implantado neste mundo pela Igreja por meio da evangelização, assim, quando Jesus retornar encontrará um mundo já cristianizado, convertido.

Eu, pessoalmente, creio na terceira teoria, a visão *amilenista,* segundo a qual Cristo já reina, sendo esse período de mil anos simbólico e espiritual, não literal. Entendo que é a que mais se aproxima do ensino bíblico, dos escritos de Paulo e João, do sermão escatológico de Cristo, no qual não há nenhuma referência a um reino literal de mil anos.

Questões escatológicas devem ser vistas com muita cautela e humildade. Profecia é algo complicado de interpretar. Muito embora a inauguração do reino de Deus já iniciada com a vinda de Jesus esteja muito clara para nós, algumas coisas relacionadas à consumação do reino e ao retorno do Senhor Jesus não nos são muito claras. É sempre bom termos humildade para não firmar dogmas, engessando uma visão e considerando herege qualquer um que pense um pouco divergente que seja.

É importante notarmos que, embora haja divergências em certos pontos da escatologia bíblica entre os três grupos, os pontos principais são comuns a todos: o reino de Deus já veio; Cristo já reina; haverá uma segunda vinda visível de Cristo; haverá a ressurreição dos mortos; haverá o juízo final; e haverá novos céus e nova terra, onde habitará a justiça. As dificuldades apresentadas em cada linha de pensamento estão na sequência em que essas coisas acontecerão e na interpretação sobre o "milênio". Portanto, sou um amilenista que respeita muito os pré-milenistas e os pós-milenistas.

COMO SERÁ O FIM DO MUNDO?

O que a Bíblia chama de fim do mundo certamente está relacionado a um acontecimento histórico, que se concretizará futuramente em nosso mundo. Será o dia de ajuste de contas de Deus com a humanidade. Não se trata, portanto, de uma metáfora ou de uso de linguagem figurada.

Existe um anseio no coração humano que clama por justiça no mundo. Todos nos perguntamos diante das injustiças que vemos diariamente: "Até quando?". A razão bíblica disso é que Deus fez o homem à sua imagem e semelhança e o dotou de algumas de suas virtudes e qualidades. Deus é justo, logo, nós também temos o anseio por justiça. Mesmo aqueles que não creem em Deus como nós, cristãos, sustentam a convicção de que, de alguma forma, os maus serão punidos futuramente. Ainda que para tais pessoas, seja aqui neste mundo, nesta vida. Várias religiões creem que um dia haverá o ajuste final, quando tudo será passado a limpo.

Segundo a Bíblia, esse dia está no futuro e o julgamento será conduzido pelo próprio Senhor. Tal juízo será feito com base nos méritos de cada um. Mas, nessa avaliação, de acordo com as palavras do próprio Jesus, "Eu lhes digo a verdade: quem ouve minha mensagem e crê naquele que me enviou tem a vida eterna. Jamais será condenado, mas já passou da morte para a vida" (Jo 5.24). Portanto, aqueles que creram em Jesus, se arrependeram de seus pecados, reconheceram que ofenderam a santidade de Deus e viram em Cristo o seu suficiente e completo Salvador serão justificados, isto é, serão declarados justos publicamente pelo Juiz, no grande dia.

Isso é algo que pode acontecer já, aqui e agora. Quando alguém crê em Jesus Cristo, tal pessoa já é, inicialmente, declarada justa no céu. Paulo fala sobre isso: "Portanto, uma vez que pela fé fomos declarados justos, temos paz com Deus por causa daquilo que Jesus Cristo, nosso Senhor, fez por nós" (Rm 5.1). Portanto, já existe uma justificação imediata para quem crê em Jesus. Tal pessoa é perdoada e aceita por Deus. Mas haverá uma manifestação pública dessa justificação, que acontecerá no fim do mundo, no encerramento da história humana como a conhecemos — o fim da história cronológica.

Nesse momento, Deus dirá que os que receberam sua oferta de perdão por meio de Jesus Cristo estão justificados e viverão pela eternidade em satisfação plena de amor perante seu Salvador, mas, àqueles que se recusaram a receber a mensagem da cruz, que traria arrependimento e reconciliação com Deus, só resta o caminho da perdição eterna no inferno, o local onde sua dor e seu desespero não terão fim (Jo 3.18).

É importante ressaltar que o fim do mundo não é o fim da humanidade. Segue-se ao fim do mundo um novo modo de existência. Haverá um novo céu e uma nova terra, onde habitará a justiça. Deus está preparando um novo mundo, que sucederá o atual, manchado pelo pecado (Is 65.17-19; Ap 21). Pedro, referindo-se a Isaías, explica, em sua segunda carta, que Deus destruirá o mundo presente por fogo e dele trará um novo céu e uma nova terra, onde habita a justiça (2Pe 3.10-13). Será a concretização do qual, nós, cristãos, tanto ansiamos: um mundo livre de dores, sem possibilidade de pecado, onde as pessoas viverão em paz e alegria plena e perfeita eternamente. E o mais importante: em comunhão santa com seu Deus e com seu Filho, Jesus Cristo.

Apocalipse narra os eventos do fim do mundo. Lemos sobre os últimos dias da humanidade neste mundo, sobre o tribunal que trará julgamento para os pecadores, sobre os nomes dos eleitos escritos no Livro da Vida, entre outras questões. Somente a imaginação popular apresenta — por meio de filmes, livros e outros meios culturais — a ideia errônea de que o mundo será destruído por um meteoro gigante, um *tsunami* ou algo assim. De acordo com a Bíblia, o fim do mundo é um ato de Deus. O Senhor pode se valer de meios naturais para efetivar isso? Claro que sim, ele é Deus e pode todas as coisas, mas será ele mesmo que fará em uma ação pontual, com propósito específico.

Paulo escreveu que, nessa oportunidade, todo joelho se dobrará, nos céus, na terra e debaixo da terra, e toda língua declarará que Jesus Cristo é Senhor, para a glória de Deus, o Pai (Fp 2.5-11).

Não creio que será por meio de uma catástrofe natural, mas sim por meio de uma intervenção divina, que não deixe nenhuma dúvida de que será Deus, o Criador de tudo e todos, que estará agindo e trazendo juízo, consumando a história humana. Lembre-se de que, no dia em que este mundo acabar, você pode estar prestes a viver seus melhores dias com o Criador, em plena paz e alegria eternas. Para isso, basta somente que se arrependa de seus pecados e aceite Jesus Cristo como o Salvador de sua vida.

QUANDO SERÁ O FIM DO MUNDO?

Como podemos saber e entender os sinais da volta de Cristo e do fim do mundo? E como diferenciamos os reais sinais dessa volta, biblicamente revelados, em relação aos sinais aparentes ou mesmo falsos? A melhor resposta vem a partir de uma análise da história.

Houve um tempo em que as pessoas diziam que, quando os planetas estivessem alinhados, formariam uma espécie de passarela por meio da qual Jesus viria ao nosso planeta. Os planetas se alinharam e se desalinharam algumas vezes e Jesus não voltou. Recentemente, houve uma associação do fenômeno conhecido como "lua de sangue", que as pessoas remetem apocalipticamente às profecias do profeta Joel (Jl 2.31). Porém, é importante lembrar que essa "lua de sangue" não apareceu somente uma vez ao longo dos séculos e, claro, Jesus não voltou nem antes, nem agora.

Não estou dizendo que devemos desprezar aquilo que a Bíblia fala em relação à vinda de Cristo, mas, sim, que a Escritura nos aconselha cautela. Precisamos entender o que os sinais da vinda de Jesus representam. Um bom ponto de partida é nos lembrarmos de que o Senhor disse que ninguém sabe o dia de sua vinda (Mt 24.36). Nem ele mesmo enquanto estava aqui conosco, em sua humanidade, sabia. No estado de humilhação em que ele se encontrava, como Filho eterno do Pai que se despiu de sua majestade, Jesus registrou que não sabia o dia nem a hora que haveria de voltar uma segunda vez.

Claro que, neste momento, no qual Jesus está sentado à direita do Pai e reina sobre o trono do Universo como Senhor, com certeza sabe precisamente quando haverá de retornar. Em que pese o próprio Jesus dizer que ninguém sabe o dia e a hora de sua volta, não são poucas as pessoas que projetam detalhes de como e quando será a segunda vinda de Cristo.

Quando o povo de Israel voltou para a Palestina e se constituiu em Estado, em maio de 1948, mediante aprovação da Organização das Nações Unidas (ONU), algumas pessoas fizeram a correlação desse fato com as profecias de Jesus em seu sermão profético, crendo que a volta de Cristo se daria no máximo até o fim da década de 1980. E até hoje as pessoas continuam fazendo a mesma coisa. Tomam, por exemplo, as setenta semanas mencionadas no livro de Daniel (Dn 9), calculam daqui e dali e chegam a datas sem nenhuma base senão o simples sentimento de que gostariam de estar certos.

Adventistas, Testemunhas de Jeová e ramos fundamentalistas e dispensacionalistas dentre os evangélicos já marcaram a data da vinda de Cristo Jesus. A lista de pessoas que anunciaram tal data é enorme e continua crescendo até hoje. Quando há viradas de milênio, então, crescem mais ainda as tentativas, para logo depois mostrarem-se frustradas. A Bíblia, no entanto, continua dizendo que ninguém sabe o dia nem a hora.

Eventos históricos já serviram de pretexto para especular sobre a volta de Cristo. A Primeira e a Segunda Guerras Mundiais foram marcos para muitos, que disseram se tratar da iminente volta de Cristo. A verdade é que não há nada na Bíblia que nos dê base para dizer o dia e a hora em que Cristo retornará. Nem mesmo o ano é possível saber. O Senhor pode voltar a qualquer instante. Pode ser antes que você termine de ler este livro ou daqui a mil anos, se assim ele quiser.

Os sinais que a Bíblia nos indica como marcas da volta de Cristo não devem servir de base de cálculo estimado da vinda, mas para nos *assegurar* de que ele voltará. Por isso, Jesus disse que haverá guerra e rumores de guerra, fome, tempestades, epidemias, perseguições e a pregação do evangelho em larga escala. Então virá o fim (Mt 24). O intuito de Jesus foi nos dar uma base, um fundamento da verdade sobre a sua volta. Ora, Jesus disse essas coisas há dois mil anos e, desde então, tudo isso tem acontecido sem cessar.

Como Jesus poderia saber que o futuro, de fato, seria assim? Somente porque ele é Deus. Mesmo com todo o progresso material e tecnológico, o mundo continua sendo flagelado pelos males profetizados por Cristo. Portanto, se Jesus conseguiu profetizar com tanta precisão estes eventos tristes que continuam a acontecer, isso quer dizer que podemos confiar em sua palavra quando diz que ele retornará mais uma vez.

Em suma, os sinais apocalípticos alardeados por Jesus são uma garantia de que ele retornará a este mundo. Cada geração da história da Igreja deve viver na expectativa do maravilhoso retorno de nosso Salvador e Rei. Por isso, não podemos dizer que os sinais que constatamos em nosso mundo são os da volta de Jesus para agora. Foi ele mesmo quem disse que o dia do Senhor viria como o ladrão, de noite, repentinamente. Não haverá avisos, nem indicativos. Não é só porque as coisas podem estar piorando no mundo que isso, por si só, quer dizer que Cristo está voltando agora. Esses mesmos sinais vêm acontecendo há dois mil anos.

O sinais têm como propósito, também, nos manter em vigília. Devemos estar vigilantes e em oração, buscando ao Senhor em santidade, pois, como dito, ninguém sabe o dia nem a hora. A Palavra de Deus nos disse que Jesus nasceria e ele nasceu. Também disse que ele morreria e ele morreu. Afirmou que Jesus ressuscitaria e ele ressuscitou. Por que, então, duvidaríamos de que ele voltará?

O QUE SERÁ A MARCA DA BESTA?

O número 666 sempre chamou muita atenção. Trata-se de um número registrado em Apocalipse, associado ao que é maligno e à besta (Ap 13.18). Muito se fala sobre esse número estar relacionado com um código de barras ou um *chip* a ser implantado em pessoas, o que caracterizaria a marca da besta. Não raramente há muitos vídeos circulando nas mídias sociais alertando que um *chip* que já está em uso em vários países do mundo é a tal marca da besta. Afinal, que marca é essa que tanto amedronta as pessoas?

Para compreender isso, precisamos começar entendendo quem é a besta, para depois analisarmos a questão da sua marca. A besta é um personagem que aparece no livro de Apocalipse, especialmente no capítulo 13. O texto diz que a besta surge da terra, tem dois chifres, parece um cordeiro mas fala como dragão. Ela exerce autoridade espiritual sobre os moradores da terra e, inclusive, promove o culto a uma besta que aparece antes dela, que saíra do mar.

A besta que sai da terra opera sinais e prodígios, a ponto de a Bíblia dizer que ela é capaz de fazer descer até fogo do céu diante dos homens. Assim sendo, ela seduz o ser humano com seu poder e usa sua influência para ordenar a adoração da besta que saiu do mar. Ela tem tanto poder que dá fôlego de vida à imagem da besta, para que ela fale e ordene que seja morto quem não adorá-la.

Essa é a besta que o apóstolo João descreve em Apocalipse. A besta, é fácil perceber a relação, refere-se ao anticristo, outro personagem que aparece nos escritos do Novo Testamento. Paulo se refere a ele como sendo o "homem da perversidade, e aquele que traz destruição" (2Ts 2.3). O próprio João também faz menção desse personagem em suas cartas como sendo o anticristo (1Jo 2.18).

O Senhor Jesus também menciona o anticristo em seu sermão escatológico de Mateus 24, quando fala sobre "aquilo de que o profeta Daniel falou, a 'terrível profanação' que será colocada no lugar santo" (Mt 24.15). Portanto, a identidade da besta remonta ao livro do profeta Daniel e vem sendo historicamente interpretada como sendo uma figura escatológica que está no futuro sombrio da humanidade e se levantará com o desejo de tomar o lugar de Cristo, apresentando-se como divina, fazendo sinais e prodígios, enganando a humanidade inteira, escravizando e subjugando, perseguindo a Igreja de Deus. Todavia, o anticristo será destruído completamente na volta de Jesus a este mundo. Paulo nos diz que, quando Cristo vier novamente, destruirá o anticristo com o sopro de sua boca (2Ts 2.8).

Apocalipse informa que todos receberão uma marca sobre a mão direita e sobre a testa, marca essa que dará permissão para as pessoas comprarem e venderem. Quem não tiver essa marca da besta não poderá comercializar nada. Em outras palavras, correrá risco de sobrevivência (Ap 13.16-17). Essa marca que a besta colocará na mão e na testa será "o nome da besta ou o número que representa seu nome" (v. 17). Essa expressão, "número que representa seu nome" nos introduz ao que chamamos de *gematria*: uma antiga técnica de numerologia que consiste em atribuir um determinado valor a cada letra do alfabeto, e somar os valores de cada letra de uma palavra para ver o total, e comparar esse total com o de outras. Isso é feito no alfabeto hebraico como caracteres numéricos. Assim, as nove primeiras letras do alfabeto hebraico correspondem, cada uma, a um número. *Alef* é 1, *Bete* é 2 e assim por diante, até chegar a 9. A partir daí, a contagem é em dezenas: 10, 20, 30 e mais. Depois segue-se em centenas: 100, 200, 300 e seguintes.

O que Apocalipse está nos dizendo é que essa marca é o nome do número da besta. E, para aumentar mais ainda a curiosidade das pessoas, o texto diz: "Aqui é preciso sabedoria. Quem tem discernimento, trate de entender o significado do número da besta, pois é número de homem. Seu número é 666" (v. 18). Já houve todo tipo de especulação sobre esse número da besta. Já calcularam e acharam no nome do ex-presidente americano Ronald Reagan o número 666, assim como no nome de Adolf Hitler e de papas católicos, entre outros.

É fundamental definirmos como interpretar Apocalipse. Esse livro foi escrito em uma linguagem altamente figurada e espiritual, cita criaturas extraordinárias e outras coisas que nos permitem ver que não podemos compreendê-lo como um texto interpretado de forma literal. Outra característica desse livro é o uso de números. O Espírito de Deus é dito como "os sete espíritos de Deus" (Ap 3.1). Claro, não é que Deus tenha sete espíritos, mas o número 7 em Apocalipse refere-se à perfeição. O número 3 é usado com muita frequência para se referir a Deus, por conta, obviamente, da Trindade. Já o 4 se refere ao mundo, porque remete aos quatro pontos cardeais. Portanto, toda vez que aparece um número em Apocalipse entendemos que se refere a um significado simbólico. Não pode ser tomado literalmente.

Por tratar-se de um livro com alto grau de simbolismo, é difícil crer que teremos gravado nas mãos e testa o número da besta, como algumas pessoas já sugeriram. A verdade é que há muitas coisas no livro de Apocalipse cujo significado não sabemos ainda hoje. Os primeiros leitores talvez soubessem a que se referem algumas expressões e passagens, mas nós, naturalmente, temos dificuldade com diversos trechos.

Compreender o propósito da escrita de Apocalipse também nos ajuda a entendê-lo. Trata-se de um livro para uma geração de cristãos que vivia no final do século 1º. Portanto, Apocalipse tem de mencionar, necessariamente, coisas pertinentes aos cristãos que viveram naquele contexto histórico. Assim, se queremos saber quem poderia ser a besta, o melhor a fazer é procurar quem, ao final do século 1º, poderia se enquadrar nessa descrição. A quem o apóstolo João se referia, à época, e que seus leitores identificariam?

Retomemos o contexto histórico: João havia sido exilado na ilha de Patmos, em razão de sua recusa em deixar de pregar o evangelho. As igrejas cristãs de meados e final do primeiro século estavam debaixo de intensa perseguição dos césares romanos. Se nossa perspectiva está correta, o livro de Apocalipse deve ter sido escrito na época do imperador Nero.

Agora, perceba algo interessante: se tomarmos o nome “Nero” e a palavra “César”, em hebraico, e somarmos as letras das duas palavras, qual é o resultado? 666. Mesmo assim, boa parte dos comentaristas do Novo Testamento e do livro de Apocalipse reconhecem que essa curiosidade é apenas uma possibilidade. Em outras palavras, pode ser que “Nero César”, em hebraico, seja o número da besta mencionado no livro. E não é sem razão. Nero foi um imperador dos mais perversos. Perseguiu muita gente, controlou com mãos de ferro as transações comerciais dos países que estavam sob o jugo do Império Romano da época, iniciou uma perseguição violenta aos cristãos, lançou inúmeros servos de Deus na arena do Coliseu romano para serem devorados por leões e outros animais, queimou cristãos vivos, mandou decapitar o apóstolo Paulo, entre outras barbaridades. Portanto, se Apocalipse tem uma mensagem aos cristãos do primeiro século, então o maior candidato a ser a besta descrita no livro é o imperador romano Nero.

Conforme mencionei, não creio que a marca da besta a ser gravada nas mãos e testa das pessoas seja algo literal. Era costume na época marcar escravos com ferro quente, às vezes na testa, às vezes nas costas das mãos. Também adoradores de deuses estranhos costumavam se tatuar com os nomes de seus deuses na testa e também nas costas das mãos, visando a se identificarem como adoradores de seus deuses.

A interpretação mais provável é que a marca da besta, o número 666, tenha primariamente a ver com a perseguição que os cristãos sofreram no século 1º. Isso não quer dizer que no futuro não se levante o anticristo. Nero César foi apenas um tipo, uma sombra do anticristo que virá para dominar o mundo. A marca da besta, se interpretarmos em relação ao futuro, pode significar algum tipo de identificação, ou uma lealdade, ou algum selo que trará a identificação dos seguidores do anticristo. Alguns intérpretes falam em algo semelhante a um contrato, um selo. Ninguém sabe dizer precisamente o que será.

O que é interessante notar é que a identificação na testa e nas mãos dos seguidores da besta, conforme mencionado em Apocalipse 13, parece uma paródia dos capítulos anteriores do mesmo livro, onde se lê que os servos de Cristo trazem na testa as marcas de Cristo (Ap 7.3; 9.4). Ora, o que é a marca de Cristo dos cristãos no Novo Testamento? O Espírito Santo (Ef 1.14). Parodiando, os seguidores da besta também colocarão uma marca naqueles que o seguirem — afinal, Satanás sempre tenta imitar a Deus em tudo o que fez e faz.

SOBRE O AUTOR

Augustus Nicodemus Lopes é pastor presbiteriano (IPB), escritor e professor. Casado com Minka Schalkwijk, é pai de Hendrika, Samuel, David e Anna.

Conheça outras obras de

Augustus Nicodemus

- O que estão fazendo com a Igreja
- O ateísmo cristão e outras ameaças à Igreja
- Polêmicas na Igreja
- Cristianismo descomplicado

Veja mais em:

Compartilhe suas impressões de leitura escrevendo para:
opiniao-do-leitor@mundocristao.com.br
Acesse nosso *site*: www.mundocristao.com.br

Equipe MC: Maurício Zágari (editor)
Natália Custódio
Diagramação: Luciana Di Iorio
Gráfica: Assahi
Fonte: ITC Berkeley Oldstyle Std
Papel: Pólen natural 70 g/m² (miolo)
Cartão 250 g/m² (capa)